L'1talia è cu1tura

Collana in 5 fascicoli

Livello B2-C1

Geografia

Testi e attività per stranieri

EDILINGUA

www.edilingua.it

Maria Angela Cernigliaro, nata a Napoli, si è laureata in Lettere classiche e in Storia e Filosofia presso l'Università Federico II. In possesso di Master e del Dottorato in Letteratura italiana, con una tesi su Italo Calvino, oggi vive ad Atene, dove insegna presso l'Università Capodistriaca e l'Istituto Italiano di Cultura. È autrice di varie opere sull'insegnamento/apprendimento della lingua italiana e collabora, inoltre, con l'Università di Perugia e Venezia.

© **Copyright edizioni Edilingua**
Sede legale
Via Cola di Rienzo, 212 00192 Roma
Tel. +39 06 96727307
Fax +39 06 94443138
info@edilingua.it
www.edilingua.it

Deposito e Centro di distribuzione
Via Moroianni, 65 12133 Atene
Tel. +30 210 5733900
Fax +30 210 5758903

I edizione: ottobre 2009
ISBN: 978-960-693-006-5
Redazione: Marco Dominici, Laura Piccolo
Impaginazione e progetto grafico: Edilingua

Grazie all'adozione dei nostri libri, Edilingua adotta a distanza dei bambini che vivono in Asia, in Africa e in Sud America. Perché insieme possiamo fare molto! Ulteriori informazioni sul nostro sito.

Stampato su carta priva di acidi, proveniente da foreste controllate.

Ringraziamo sin da ora i lettori e i colleghi che volessero farci pervenire eventuali suggerimenti, segnalazioni e commenti sull'opera (da inviare a redazione@edilingua.it).

Premessa

Se intendiamo conoscere a fondo una lingua, non ha senso apprendere solo regole grammaticali o questo e quel lemma. Occorre piuttosto pensare che la lingua non è che uno "strumento" usato dal popolo per rappresentare se stesso, ovvero la sua cultura, che è alla base della sua civiltà.

La cultura di cui siamo portatori emerge in tutto ciò che siamo, diciamo, facciamo. Lingua e cultura non sono che due facce della stessa medaglia. Sviluppare, dunque, nelle nostre classi l'argomento cultura, seppure in linee generali, si pone come un'esigenza primaria e necessaria da soddisfare assolutamente.

Chi sono gli italiani? *Dove* vivono? *Quali* elementi storici o geografici sono o sono stati determinanti per la formazione del loro carattere? *Come* hanno vissuto e *che cosa* hanno fatto i loro personaggi illustri? *Da dove* nascono i loro miti artistici? *Perché* alcuni fattori hanno influenzato più di altri i loro gusti e le loro mode?

Per dare risposta a questi e ad altri interrogativi abbiamo ideato una collana che si pone come obiettivo di dare dei lineamenti di cultura italiana. La materia spazia dalla storia alla geografia, dalla letteratura alla storia dell'arte per giungere fino alla musica, al cinema e al teatro, attraverso l'uso di un linguaggio semplice (per le parole meno familiari si rimanda a un glossario in appendice) e di ricco materiale fotografico. Si offre, insomma, al discente straniero una chiave per interpretare e approfondire – con il ricorso ad "elementi" culturali – la lingua italiana da lui tanto amata.

Intendiamo, invero, intraprendere un viaggio in compagnia dei nostri studenti stranieri, ai quali vogliamo "tradurre", invece che l'italiano – cosa che ci sembra estremamente limitativa – l'Italia e gli italiani.

Avanti, allora, e coraggio! Come dice Severgnini in un suo divertente libro, troviamo la strada che porta nella "testa degli italiani".

Si tratta di un'esplorazione avventurosa utile ai nostri discenti per capire verità – e anche menzogne – che suscitano l'interesse di tanti stranieri per il Belpaese, entrando in un labirinto affascinante, pieno di emozioni e di nuove scoperte.

L'autrice

GEOGRAFIA: L'ITALIA

In Italia esistono grandi differenze tra Nord, Centro e Sud.

La natura è stata generosa con questo paese. Qui si trovano paesaggi vari e magnifici: alte montagne, dolci colline, fertili[1] pianure, fiumi, laghi e tanti chilometri di coste che si affacciano[2] su un mare color smeraldo, con tante isole, grandi e piccole.

Per amministrare meglio tutto il territorio, il Bel Paese è stato diviso in 20 regioni dove oggi vivono circa 59 milioni di abitanti. Tra una regione e un'altra esistono grandi differenze che si manifestano nell'arte, nella cultura, nei dialetti e perfino nella cucina.

Con lo zaino in spalla, iniziamo il nostro viaggio per andare alla scoperta di luoghi e tradizioni della nostra penisola. Buon viaggio!

Lessico di base

a statuto speciale	fiume	palude
affluente	flora/fauna	pascolo
agricoltura	foce	pastorizia
allevamento	ghiacciaio	penisola
altitudine	golfo	popolazione
altopiano	grotta	promontorio
altura	insediamento	provincia
amministrazione	insenatura	punta
arcipelago	isola	quartiere/contrada/rione
artigianato	lago	reddito (pro capite)
bassopiano	laguna	regione
bosco	località	riviera/litorale
capoluogo	lungomare	sabbiosa/rocciosa/frastagliata
cascata	marinaro/marittimo	scoglio
catena	meridionale	settentrionale
cima/vetta	montagna/monte	sfociare
città/borgo	montuosa/vulcanica/collinare	sottosuolo
colle/collina	pianeggiante/paludosa/balneare	stretto/canale
comune	peninsulare/insulare	suolo/terreno
confine	massiccio	terraferma
continente	occidentale	traforo/passo
costa/costiera	orientale	valle/pianura
eruzione	paesaggio	vulcano
fascia	paese/villaggio	zona

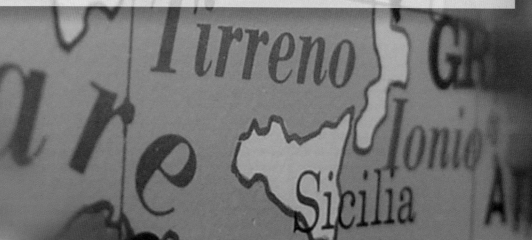

4

L'Italia fisica

Superficie	301.338 Kmq
Popolazione	circa 60 milioni di abitanti
Territorio montuoso	35,2%
Collinoso	41,6%
Pianeggiante	23,2%
Ordinamento politico	Repubblica parlamentare
Lingua	italiano
Religione	maggioranza cattolica
Unità monetaria	euro
Capitale	Roma
Altre città altamente popolate	Milano, Napoli, Torino

L'Italia è una penisola dalla forma di un lungo stivale che si allunga nel mar Mediterraneo, il quale la bagna lungo le coste per 7.375 km, prendendo nomi diversi: Mar Ligure, Mar Tirreno, Mar Ionio, Mare Adriatico e Mar di Sardegna. Nelle verdi e azzurre acque di questi mari ci sono due grandi isole, la Sicilia e la Sardegna; e altre più piccole, come l'isola d'Elba, Ischia e Capri, le Eolie e molte altre ancora.

Circa il 77% del territorio italiano è costituito da monti e colline. La gigantesca catena montuosa delle Alpi al Nord è disposta ad arco[3] e, come un confine naturale, separa l'Italia dalle terre europee confinanti (la Francia, la Svizzera, l'Austria e la Slovenia). Qui si trovano le cime più alte della Penisola: il Monte Bianco (m. 4810), la cima più alta anche d'Europa, il Monte Rosa (m. 4634) e il Cervino (m. 4478). I paesaggi incantevoli attirano in ben attrezzati centri sciistici molti turisti che amano gli sport invernali. Lungo tutta la penisola si snoda[4], costituendone la "spina dorsale"[5], anche un'altra catena montuosa, gli Appennini, che è spesso affiancata[6] da colline. I monti appenninici non sono tanto alti come quelli alpini (il più alto è il Gran Sasso, che raggiunge i 2912 m.), ma, in compenso, qui ci sono vulcani ancora attivi e pericolosi: l'Etna (Sicilia), lo Stromboli, il Vulcano (isole Lipari) e il Vesuvio (Campania), tristemente noto per la terribile eruzione che nel 79 d. C. distrusse le città di Pompei ed Ercolano.

Solo il 20% circa del territorio italiano è pianeggiante e circa la metà di questo è costituito dalla pianura Padana, attraversata dal fiume più lungo d'Italia, il Po (652 Km.), con i suoi affluenti[7].

Nel punto in cui il fiume sfocia nell'Adriatico, formando un delta, c'è la *laguna* di Venezia, cioè uno specchio d'acqua salata racchiuso da tanti cordoni[8] di sabbia.

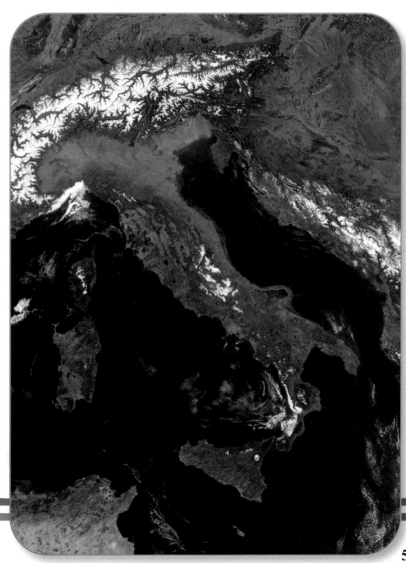

Le altre pianure, poco estese, si trovano spesso vicino alla costa. Tra i fiumi appenninici più fotografati c'è l'Arno, che passa sotto i ponti della bellissima città di Firenze e il Tevere, che bagna Roma, la "città eterna".

Molti, grandi e profondi sono i laghi che si trovano al Nord, come il Lago di Garda (il più esteso d'Italia), il Lago Maggiore, il Lago di Como, ecc.; al centro-sud ci sono laghi più piccoli, ma molto pittoreschi, come il Lago Trasimeno, il Lago di Bolsena e tanti altri.

La bellezza dell'Italia è dovuta alla grande varietà di clima e di paesaggio, diverso da zona a zona. Insomma, ce n'è veramente per tutti i gusti!

L'Italia politica

L'Italia è costituita da 20 regioni:

NORD: Piemonte, Valle d'Aosta, Lombardia, Liguria (*Italia nord-occidentale*); Trentino-Alto Adige, Veneto, Friuli-Venezia Giulia, Emilia-Romagna (*Italia nord-orientale*).
CENTRO: Toscana, Umbria, Marche, Lazio.
MEZZOGIORNO: Abruzzo, Molise, Campania, Puglia, Basilicata, Calabria (*Italia meridionale*); Sicilia, Sardegna (*Italia insulare*).

- Fanno parte del territorio italiano due piccoli stati indipendenti: la Repubblica di San Marino e lo Stato del Vaticano.
- Il punto più a Nord dell'Italia è la Vetta d'Italia nel Trentino Alto Adige, mentre il punto più a Sud è l'isoletta di Lampedusa, in Sicilia, più vicina alla Tunisia che all'Italia.
- La regione più grande dell'Italia è la Sicilia, mentre la più piccola è la Valle d'Aosta.
- La regione più popolata è la Lombardia, quella meno popolata la Valle d'Aosta.

L'economia

L'Italia è il sesto tra i paesi più industrializzati del mondo. Le attività economiche sono suddivise in tre grandi settori: primario (che comprende agricoltura e allevamento), secondario (che comprende industria e artigianato) e terziario (che comprende i trasporti, il commercio, il turismo e i servizi pubblici). Al Nord è più alta la percentuale di coloro che lavorano nelle industrie, invece, nel Sud è maggiore il numero dei lavoratori impiegati nel settore agricolo e della pubblica amministrazione.
Nel 1992 l'Italia è entrata a far parte dell'Unione Europea, ma, sin dal 1957, è anche membro fondatore della *Cee* e del *Mec*.

ITALIA
PATRIA
Europa

Fratelli d'Italia
L'Italia s'è desta,
Dell'elmo di Scipio
S'è cinta la testa.
Dov'è la Vittoria?
Le porga la chioma,
Che schiava di Roma
Iddio la creò.
Stringiamoci a corte
Siam pronti alla morte
L'Italia chiamò.

Noi siamo da secoli
Calpesti, derisi,
Perché non siam popolo,
Perché siam divisi.
Raccolgaci un'unica
Bandiera, una speme:
Di fonderci insieme
Già l'ora suonò.
Stringiamoci a corte
Siam pronti alla morte
L'Italia chiamò.

con il Patrocinio del: Ministero per i Beni e le Attività Culturali
Ministero per gli Italiani nel Mondo
Ministero degli Affari Esteri

Le regioni del Nord-Italia

Piemonte

Superficie: kmq. 25.399
Popolazione: ab. 4.424.800
Capoluogo di regione: Torino
Capoluoghi di provincia: Alessandria, Asti, Biella, Cuneo, Novara, Verbania, Vercelli

Veduta di Mondovì

Il Piemonte è la seconda regione d'Italia per estensione, subito dopo la Sicilia.
Il suo nome vuol dire *ai piedi dei monti* e sta a indicare che la presenza delle montagne su
tre lati (a Sud l'Appennino ligure, a Ovest e a Nord le Alpi) caratterizza la maggior parte dei paesaggi piemontesi.

▸ Benché le attività industriali siano le più importanti nell'economia della regione, anche l'agricoltura è molto fiorente: sulle colline si produce vino rosso pregiato o spumante (nella zona di Asti, che è il più importante centro vinicolo italiano), mentre nelle fertili zone di pianura si coltivano cereali, soprattutto riso. Uno dei piatti tipici della zona è appunto il riso ai tartufi, rarissimi e costosissimi funghi che crescono sottoterra.

▸ Importante è anche il settore tessile e il turismo, che è in progressiva espansione.

▸ Al confine con Lombardia e Svizzera si trova il Lago Maggiore, il secondo per estensione in Italia, che richiama molti turisti per le isole Borromeo, tra cui l'isola Bella, caratterizzata da uno splendido palazzo barocco circondato da giardini con terrazze digradanti[9].

Torino, la Mole Antonelliana

Il capoluogo

Torino, la città della Fiat, prima capitale del Regno d'Italia sotto il re Vittorio Emanuele II di Savoia (1861), è in stile barocco, con grandi viali e ben 12 chilometri di portici[10]!
Ai tifosi di calcio Torino è nota per la Juventus, la "Vecchia Signora", che è una delle squadre più amate in tutta Italia e anche all'estero: non per niente ha vinto il maggior numero di scudetti!

Da vedere

▸ La Mole Antonelliana, costruita nel 1897 come tempio israelitico dall'architetto Antonelli, è una grandiosa costruzione a forma di cupola che domina la città con i suoi 167 metri d'altezza, oggi sede del Museo nazionale del Cinema.

▸ Il più grande museo egizio del mondo, secondo solo a quello del Cairo. Qui c'è la ricostruzione di una tomba perfettamente conservata.

▸ Il Duomo[11], dove è custodita[12] la *Sacra Sindone*, cioè il lenzuolo nel quale sarebbe stato avvolto Gesù dopo la Crocifissione[13] e che porterebbe impressa l'immagine del suo volto. Si può dire che è la più antica fotografia del mondo!

La maggiore industria piemontese e italiana è la FIAT (Fabbrica Italiana Automobili Torino), fondata nel 1899 da Giovanni Agnelli. All'inizio produceva solo automobili, poi ha cominciato a produrre anche camion, autobus e altri mezzi di trasporto. Divenuta ben presto la capitale dell'automobile, negli anni 1950/60 sono immigrati a Torino numerosi operai, soprattutto dal Sud, le cui condizioni di vita erano all'inizio molto difficili. Oggi, la Fiat ha stabilimenti anche all'estero.

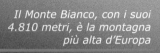

Valle d'Aosta

Superficie: kmq. 3.263
Popolazione: ab. 126.660
Capoluogo di regione: Aosta

Il Monte Bianco, con i suoi 4.810 metri, è la montagna più alta d'Europa

Uno stambecco

Non ha sbocchi sul mare ed è la più piccola regione italiana. Il suo territorio è costituito da una grande valle, attraversata da un affluente del Po, e da montagne che sono le più alte delle Alpi. A tali altezze le cime dei monti sono ricoperte da nevi che non si sciolgono mai e formano ghiacciai. Grazie al traforo del Monte Bianco e del Gran San Bernardo costituisce un nodo[14] importante per i traffici con la Francia e la Svizzera.

▸ Nella Valle d'Aosta, che originariamente era di cultura francese, oggi è in vigore[15] il bilinguismo: accanto all'italiano, anche il francese è riconosciuto come lingua ufficiale. Nelle comunità franco-provenzali si parla il *patois* (pronuncia: patuà), un dialetto diffuso anche in molte regioni della Francia. Anche per questo è una regione a statuto speciale, cioè ha una notevole autonomia.

▸ L'economia si basa soprattutto sul turismo e le attività correlate[16]. In estate, turisti italiani e stranieri amanti della montagna visitano questa terra per ammirare i numerosi castelli medioevali, il paesaggio incantevole e per vivere a contatto con la natura. In inverno arrivano gli sciatori i quali trascorrono nella regione valdostana la "settimana bianca", un'intera settimana di vacanza sulla neve, in attrezzatissimi centri sciistici come Cervinia e Courmayer, che offrono una grande quantità di alberghi, funivie, seggiovie[17]. Un'altra località da non dimenticare è anche Saint-Vincent con il suo Casinò.

▸ Importante anche la produzione di energia idroelettrica, che sfrutta la ricchezza d'acqua del territorio. Il settore industriale (estrattivo e siderurgico) è invece in calo, così come modesta importanza hanno agricoltura e allevamento (bovini).

▸ Gran parte del latte prodotto è usato per fare burro e formaggi, tra cui la fontina, ricca di erbe aromatiche dei pascoli alpini.

▸ Il fascino della regione è collegabile anche alle numerose testimonianze antiche (la stessa città di Aosta viene chiamata la "Roma delle Alpi" per le sue antichissime origini romane), ai castelli di epoca medioevale con le loro torri massicce e le mura merlate[18], tra cui il più noto è quello di Fenis, e ai costumi, indossati in occasioni di feste locali, dai colori sgargianti[19] e artisticamente ricamati[20].

Il castello di Fenis

Nel Parco del Gran Paradiso, che si trova tra il Piemonte e la Valle d'Aosta, vengono protette molte specie animali, come il camoscio, la marmotta, lo stambecco, l'aquila reale, e anche piante rare come la stella alpina. Il suo territorio, tipicamente alpino, con 50 ghiacciai, laghi e corsi d'acqua che formano cascate, è un vero e proprio paradiso!

Lombardia

Il fatto che la Lombardia, pur non avendo sbocco sul mare, sia la regione più popolosa e ricca d'Italia non è casuale: si trova, infatti, al centro della Pianura Padana e dell'Arco Alpino. Le alte montagne, i fiumi (il Po con i suoi affluenti) e i laghi offrono acqua ed energia elettrica necessaria allo sviluppo dell'industria, mentre le verdi colline e le pianure si prestano[21] bene al pascolo e alla coltivazione. Il commercio, inoltre, è attivissimo e avviene attraverso una fitta[22] rete autostradale, mentre negli aeroporti milanesi fanno scalo moltissime linee internazionali.

> **Superficie:** kmq. 23.865
> **Popolazione:** ab. 9.706.584
> **Capoluogo di regione:** Milano
> **Capoluoghi di provincia:** Bergamo, Brescia, Como, Cremona, Lecco, Lodi, Mantova, Monza e Brianza, Pavia, Sondrio, Varese

- I famosi laghi della regione (lago Maggiore, lago di Garda, lago di Como e lago d'Iseo), circondati da lussuose ville, hanno ispirato poeti e pittori.
- A Cremona visse A. Stradivari (1644-1737) che costruiva i migliori violini del mondo. Oggi qui c'è una scuola per diventare liutai, cioè costruttori di violino e di altri strumenti a corda.
- Due sono le specialità culinarie[23] della regione: il risotto alla milanese, reso giallo dallo zafferano[24], e il panettone, tipico dolce natalizio italiano a forma di cupola, dovuto all'antico forno *Le tre Marie*.

Il capoluogo

Milano, l'antica *Mediolanum* dei Romani, è un'attivissima città, vera capitale economica dell'Italia, per l'industria, il commercio, i trasporti, le banche, le assicurazioni e la moda. È sede della Fiera Campionaria Internazionale (in cui vengono esposti i prodotti delle maggiori industrie italiane e straniere), della Borsa Valori e di grandi magazzini come la Rinascente. Via Monte Napoleone e via della Spiga sono strade famose per le case di moda dei grandi stilisti italiani e i lussuosi negozi. È anche un importante centro culturale con prestigiose università (Bocconi, La Cattolica) e teatri di livello internazionale (il Piccolo). A Milano vivono sempre più persone. Per questo motivo, negli ultimi decenni, i confini della città si sono allargati verso i comuni vicini, formando un'unica area, una grande città-regione, con i problemi di tutte le moderne metropoli: traffico, rumore, inquinamento. Forse Milano non è una "bella" città nel senso tradizionale della parola, ma ci sono molte cose belle da vedere.

Milano: piazza del Duomo e l'entrata della Galleria Vittorio Emanuele II

Da vedere

- La *Cattedrale* in piazza del Duomo, un capolavoro dello stile gotico con tantissime guglie[25] e statue. Sulla guglia più alta c'è la *Madonnina*, simbolo della città.
- Il *Cenacolo* (1495-1497), in cui è rappresentato Gesù con gli apostoli durante l'ultima cena, uno degli affreschi più famosi di Leonardo, posto nella Chiesa di Santa Maria delle Grazie.
- La *Basilica di S. Ambrogio*, uno dei più begli esempi di stile romanico delle origini, con lo stupendo altare d'oro.
- Il *Castello Sforzesco* con alte torri di mattone rosso e voluminosi muri di difesa, voluto dai duchi Sforza che governarono la città dal 1450 al 1535 e protessero molti artisti, tra cui Leonardo.
- Il *Teatro alla Scala*, forse il più importante teatro lirico del mondo, che ha visto salire sul palco i più grandi artisti della lirica.
- La *Galleria Vittorio Emanuele II* e i suoi elegantissimi caffè e ristoranti, dove i milanesi amano trascorrere il loro tempo libero.
- La *Pinacoteca di Brera*, che custodisce la più grande collezione di dipinti del Nord Italia dopo quella dell'Accademia di Venezia.

Liguria

La Liguria, regione dal clima mite, è un arco di terra stretta tra il mare Ligure a Sud e la catena montuosa delle Alpi Marittime e dell'Appenino Ligure a Nord. Benché sia una delle regioni più piccole d'Italia, è molto popolata: gli abitanti, in genere marinai o commercianti, vivono per l'80% lungo la costa, che si divide in Riviera di Ponente e Riviera di Levante. La fascia costiera è ricca di insenature e di promontori bellissimi a strapiombo[26] sul mare. Qui sorgono infatti famose stazioni balneari, scelte ogni anno da tanti turisti per trascorrervi le vacanze estive (ma ideali anche in inverno) come Portofino, Rapallo, Camogli e le Cinque Terre. In alcuni paesi delle Cinque Terre ci si può arrivare solo via mare.

Nonostante la scarsità[27] del suolo coltivabile, l'agricoltura è tra le più specializzate in Italia: la mancanza di pianure ha spinto gli abitanti alla creazione di spazi coltivabili grazie a terrazzamenti (cioè trasformazione del suolo a terrazze, in cui è stato portato il terreno fertile da coltivare). Tipica della regione è la produzione di olio e vino, oltre che di fiori e primizie.

> **Superficie:** kmq. 5.421
> **Popolazione:** ab. 1.609.552
> **Capoluogo di regione:** Genova
> **Capoluoghi di provincia:** Imperia, La Spezia, Savona

La Regione è molto industrializzata e gran parte delle aziende e dei cantieri navali sono tra i più importanti d'Italia.
- Nella provincia d'Imperia si trova la città di Sanremo, che è nota per la produzione di fiori in serra e per il Festival della canzone italiana che vi si svolge ogni anno.
- Un piatto caratteristico della regione sono le trenette al pesto, cioè spaghettoni conditi con una salsa a base di basilico, pinoli, aglio, formaggio grattugiato e olio.
- Nel panorama nazionale, la regione si distingue per la popolazione che è mediamente la più vecchia d'Italia a causa della natalità molto ridotta.
- Tra le numerose aree protette c'è il *Parco Nazionale delle Cinque Terre*, con l'omonima riserva marina, un bene unico, inserito dall'UNESCO nel patrimonio dell'umanità.

Due vedute di Portofino

Il capoluogo

Genova, una delle città marinare del medioevo, detta "la Superba" per i bellissimi palazzi nobiliari, sembra un anfiteatro intorno a un porto enorme, tra i più importanti del Mediterraneo. Di qui partirono per realizzare i loro sogni due eroi della storia italiana: nel '400 Cristoforo Colombo e nel 1860 Giuseppe Garibaldi (vedere modulo Storia). La vecchia città è molto suggestiva[28] perché è un vero labirinto di carrugi, vicoli[29] stretti e pittoreschi.

Da non dimenticare che ogni anno a Genova si svolge la Fiera Nautica, di importanza internazionale.

Veduta notturna del porto di Genova

Da vedere

▸ Via Garibaldi, chiamata anche la Strada Nuova, perché è una della vie più eleganti della città famosa per i palazzi con le grandiose facciate, gli affreschi e i giardini interni.

▸ Il Palazzo Comunale, dove è conservato il violino di Niccolò Paganini (1784-1840), il grande musicista genovese, autore dei famosi *Capricci*.

▸ L'acquario, il più grande d'Europa, con circa ventimila specie di esseri che vivono nel mare.

Trentino - Alto Adige

È la regione più settentrionale dell'Italia e ha un territorio completamente montuoso. Nelle valli o lungo i pendìi più dolci dei monti, dove il clima è più mite, alcune attività agricole hanno raggiunto una grande importanza, come la coltivazione delle mele (rappresenta circa la metà della produzione italiana) e la viticoltura[30]. Una risorsa importante è rappresentata anche dai boschi che hanno dato vita all'industria e all'artigianato del legno. Grazie all'abbondanza dell'acqua di fiumi e ghiacciai che alimentano bacini artificiali, la regione produce inoltre grandi quantità di energia idroelettrica, favorendo l'industria siderurgica e quella della carta. L'allevamento bovino (buoi e mucche), infine, è molto diffuso ed è possibile ottenere formaggi e altri prodotti caseari di alta qualità.

I passi dello Stelvio e del Brennero permettono i collegamenti con l'Austria e la Svizzera.

▸ Fino alla prima guerra mondiale faceva parte dell'Austria, ma con la fine della guerra (1918) è stata compresa nei confini dello stato italiano.

Superficie: kmq. 13.607
Popolazione: ab. 1.007.267
Capoluogo di regione: Trento
Capoluogo di provincia: Bolzano

▸ Durante il fascismo, agli alto-atesini si impose con la forza l'uso della lingua e dei costumi italiani.

▸ Dal 1948, per permettere agli abitanti italiani e tedeschi di convivere mantenendo lingua e tradizioni, la costituzione italiana concede una larga autonomia alla regione, che è infatti a statuto speciale con due province autonome, Trento (di tradizione italiana) e Bolzano (di tradizione tedesca),

Per tradizione in Trentino, e soprattutto in Val Gardena, esistono dei laboratori artigianali dove è sviluppata la lavorazione del legno di pino. Si tratta di un'attività in espansione che viene valorizzata da serie scuole professionali.

capoluoghi rispettivamente del Trentino e dell'Alto Adige. Tuttavia, negli anni '50 e '60 la regione fu teatro di forti tensioni etniche[31] e violenti episodi di terrorismo.

▶ La maggioranza della popolazione è bilingue: parla italiano e tedesco. In alcune zone è diffusa una terza lingua, il *ladino*, che è un dialetto del latino.

Uno dei settori più importanti dell'economia è il turismo: il Trentino-Alto Adige con la zona delle Dolomiti, montagne considerate tra le più belle del mondo, sembra una regione uscita da una fiaba, con paesaggi alpini molto pittoreschi e case di legno con fiori alle finestre. In tutta la zona dolomitica, piena di laghetti alpini, ci sono molti paesi, non troppo grandi, come Madonna di Campiglio, con accoglienti alberghi e ottimi impianti sportivi per gli amanti degli sport invernali.

▶ Al confine con la Svizzera si trova il famoso *Parco Nazionale dello Stelvio*, famoso per i bellissimi alberi e fiori in cui vivono animali e uccelli rari.

Veneto

Il territorio del Veneto si divide in tre zone: la *zona alpina*, di cui fanno parte le Dolomiti orientali, con Cortina d'Ampezzo, una delle località di montagna più famose; la *zona prealpina-collinare*, il cui terreno è roccioso e poco fertile; e, infine, la *pianura*, che continua fino al mare (si affaccia sul Golfo di Venezia), molto ricca di fiumi, tra cui, oltre al Po, l'Adige (il secondo fiume italiano) e il Piave.

Il Veneto è oggi una regione in pieno sviluppo industriale. Le industrie più importanti, di dimensioni piccole e medie, sono quelle tessili, alimentari e petrolchimiche[32]. Quest'ultime si tro-

Superficie: kmq. 18.391
Popolazione: ab. 4.874.886
Capoluogo di regione: Venezia
Capoluoghi di provincia: Belluno, Padova, Rovigo, Treviso, Verona, Vicenza

Venezia

1

2

vano a Mestre e Marghera,
spazi di terraferma che cir-
condano Venezia, dove la
maggioranza della popolazione veneziana si è trasferita
per trovare lavoro.

▸ L'artigianato è molto fiorente. In particolare l'isola di
Murano è nota per la lavorazione del vetro soffiato
mentre, l'isola di Burano lo
è per i merletti[33].

1-3: scorci di Venezia

3

▸ A Verona c'è l'*Arena*, un anfiteatro del I sec. d.C. perfettamente
conservato, dove d'estate si svolgono rappresentazioni di
opere liriche. I turisti che visitano questa città sono anche
attratti dal balcone e dalla tomba di Giulietta, l'eroina sha-
kespeariana conosciuta in tutto il mondo per la sua tragica
storia d'amore.

▸ A Padova, sede di una delle più antiche università (1222), è
possibile ammirare la *Cappella degli Scrovegni*, un vero gioiello artistico la cui fama è dovuta al ciclo degli splendidi affreschi
di Giotto, un grande capolavoro dell'arte occidentale.

▸ Nelle campagne di Vicenza sorgono[34] lussuose ville in stile neoclassico, la cui fama è legata al nome di Andrea Palladio, architetto
ufficiale anche della Serenissima (l'antico nome della Repubblica
di Venezia).

▸ Tra i piatti della cucina regionale, ricordiamo la polenta,
che si cucina con la farina di mais[35], e vari tipi
di pasta di colore nero, in cui si mette l'inchiostro delle seppie[36].

L'Arena di Verona

Panorama di Venezia

Il capoluogo

Venezia è costruita su 120 isolette separate da canali, ma collegate tra loro da ponti. Non ci si sposta, perciò, in macchina o in autobus, ma si cammina a piedi tra le strette stradine, dette calli, e nei canali si va in gondola o con il vaporetto. Gli edifici della città poggiano[37] su tronchi di alberi[38] di quercia, piantati sul fondo del mare. Venezia è sempre piena di turisti, ma si sta spopolando dei suoi residenti sia perché il costo della vita è troppo caro, sia perché le attività produttive si sono spostate sulla terraferma, sia perché è difficile conciliare il ritmo di una città-museo con la vita moderna. A causa del fenomeno dell'acqua alta, purtroppo, oggi Venezia sprofonda[39].

Da vedere

▸ *Piazza San Marco* con il magnifico porticato[40]. Fu denominata da Napoleone "il più bel Salone d'Europa"e qui si trova la *Basilica di San Marco*, un gioiello di arte bizantina ricca di mosaici dorati; il campanile, alto oltre 90 metri, in cima al quale è possibile ammirare un magnifico panorama della città; il fastoso[41] *Palazzo Ducale*, sede del Doge. In piazza troviamo anche il famoso Caffè Florian, punto di ritrovo nel Settecento e Ottocento di artisti e letterati.

▸ Il *Ponte dei Sospiri*, tristemente famoso in quanto era attraversato dai condannati che per l'ultima volta vedevano la luce prima di entrare, e forse morire, nelle strette e buie[42] celle delle prigioni della Serenissima.

▸ La *Riva degli Schiavoni*, che costituisce una delle tipiche passeggiate dei veneziani e dove si trovano alberghi lussuosissimi, come l'Hotel Danieli.

▸ Il *Canal Grande*, l'arteria centrale della città, con gli splendidi edifici e palazzi le cui facciate[43], ricche di decorazioni, ci ricordano gli stretti rapporti della città con l'Oriente.

▸ Il famoso *Ponte di Rialto*, che risale[44] al XVI secolo e si trova nel cuore della città, con tantissime botteghe[45] dove si vendono oggetti artigianali.

▸ Le chiese (bellissima quella detta dei Frari) e i musei (in particolare la *Pinacoteca dell'Accademia*), ricchi di opere d'arte di illustri pittori, come Tintoretto, Tiziano, Veronese e Tiepolo.

▸ Il teatro *La Fenice*, distrutto da un incendio[46] nel 1996, è stato interamente ricostruito e oggi può ospitare circa 1500 spettatori.

Maschere di carnevale. Tra le manifestazioni che si svolgono nella Serenissima, indimenticabile è quella del Carnevale. Piazze, calli e campielli si riempiono di uomini e donne che indossano bellissimi costumi e maschere variopinte.

Friuli-Venezia Giulia

Trieste, il Castello di Miramare

Per la sua posizione geografica, e per il fatto che la sua popolazione è costituita da abitanti che parlano diverse lingue e hanno differenti tradizioni, è una regione a statuto speciale. È costituita dal Friuli e dalla zona della Venezia Giulia, rimasta in parte all'Italia dopo la II guerra mondiale.

> **Superficie:** kmq. 7.845
> **Popolazione:** ab. 1.232.000
> **Capoluogo di regione:** Trieste
> **Capoluoghi di provincia:** Gorizia, Pordenone, Udine

- Alle spalle di Trieste, città al confine con la Slovenia, troviamo l'altopiano del Carso, composto da rocce calcaree. Benché sembri una terra triste, di colore biancastro e priva di alberi, in realtà offre al turista lo spettacolo delle grotte sotterranee con le meraviglie create da stalattiti e stalagmiti[47].
- Nella regione, il cui allevamento è incentrato su bovini e suini, si fa il prosciutto San Daniele, molto conosciuto all'estero.
- Ultimamente la regione si sta industrializzando. A Pordenone c'è la Zanussi, una delle fabbriche di elettrodomestici più moderne del mondo, e nella provincia di Udine l'industria della regione si basa soprattutto sulle medie e piccole imprese (come per esempio mobili per cucina, sedie ecc.).
- Anche il turismo è in espansione grazie alle montagne innevate[48], ai laghetti alpini e alle bellissime spiagge di Grado e Lignano Sabbiadoro.
- La regione conserva importanti testimonianze delle diverse dominazioni che si sono succedute nel corso dei secoli. I Romani, per esempio, hanno lasciato la loro impronta più significativa ad Aquileia, quarta città romana nel periodo imperiale e crocevia[49] strategico per i paesi balcanico-danubiani, ora importante sito archeologico della zona.
- In Friuli si utilizzano 4 lingue ufficialmente riconosciute: l'italiano, il friulano, lo sloveno e il tedesco.

Trieste, Piazza Unità d'Italia

Il capoluogo

Nel 1800 Trieste era il porto più importante dell'Adriatico, ma solo nel 1954 entrò a far parte definitivamente dello Stato italiano. Per questa ragione, la crescita industriale di cui l'Italia ha goduto nel dopoguerra, qui è iniziata in ritardo; anche se molti giovani devono ancora emigrare per trovare lavoro, oggi fortunatamente le cose vanno meglio. Ci sono buone speranze grazie al porto commerciale, ai cantieri navali e ad alcune importanti compagnie di assicurazione.

La città è spesso battuta dalla *bora*, un vento così gelido e violento che in alcune occasioni paralizza completamente la vita urbana. Trieste è molto affascinante. Combina il profumo dell'Adriatico con l'aroma dell'espresso *Illy*, il caffè che da qui è riuscito ad affermarsi in molti paesi del mondo. È anche una città cosmopolita in quanto vi convivono italiani, austriaci e slavi.

La città di Palmanova, nata alla fine del XVI sec., si è sviluppata come una stella a nove punte

Da vedere

- Il suggestivo panorama che si può ammirare dal colle San Giusto dove si trova una chiesa dedicata al santo patrono[50] della città.
- Il bianco *Castello di Miramare*, fatto costruire nell' Ottocento dall'arciduca Massimiliano d'Austria, in una posizione splendida. Di questo castello parla il grande poeta G. Carducci (vedere modulo *Letteratura*) nella omonima[51] poesia.

Emilia-Romagna

L'Emilia Romagna ha la forma di un triangolo. La via Emilia, un'antica strada romana, divide la regione in due parti: una pianeggiante a nord che arriva fino al Mar Adriatico e una montuosa a sud. È una delle regioni italiane più ricche e organizzate. Tutta la pianura, coltivata con metodi moderni, offre una grande quantità di prodotti; la collina dà vini pregiati (come il Lambrusco), il sottosuolo è ricco di giacimenti di petrolio e metano; il mare offre pesce in abbondanza.

▸ Sulla Riviera Adriatica ci sono rinomate e attrezzate stazioni balneari[52], come Rimini e Riccione. Un enorme giro d'affari, fatto di bar, ristoranti, discoteche, centri di divertimento, alberghi, che ruota intorno ai turisti italiani e stranieri.

▸ Parma non è una città famosa solo per il formaggio parmigiano, ma anche per i suoi monumenti, tra cui il *Battistero* e il *Teatro Regio*, uno dei teatri lirici più importanti d'Italia.

▸ La stazione termale più celebre della regione è Salsomaggiore, a pochi chilometri da Parma, considerato un luogo di cura, di riposo, ma anche di incontri mondani[53].

▸ Ravenna è una vera e propria città-museo, con i suoi tesori di arte bizantina e i mosaici conservati nella *Chiesa di San Vitale* e in altri luoghi storici. Qui c'è anche la tomba di Dante.

▸ Vicino Rimini si trova l'*Italia in miniatura*. In poco spazio si possono ammirare alcune città italiane con piazze, monumenti e chiese perfettamente riprodotte. C'è anche un famoso parco-giochi, *Mirabilandia*.

▸ Faenza, in provincia di Ravenna, è nota in tutto il mondo per le sue ceramiche da rivestimento.

▸ Come il Piemonte è la regione delle automobili di serie, così l'Emilia è la regione dei modelli da corsa: le *Maserati*, le *Lamborghini* e soprattutto le rosse *Ferrari* di Maranello, che vincendo molti campionati mondiali di Formula 1, hanno conquistato milioni di tifosi in tutto il mondo.

▸ L'Emilia Romagna è la patria di musicisti (G. Verdi) e cantanti famosi (L. Pavarotti) e anche la culla del liscio, un ballo tradizionale, che si balla in caratteristici locali, dette *balère*. La canzone *Romagna mia* da oltre 50 anni è nota a tutti gli italiani.

Bologna: panorama

Superficie: kmq. 22.123	
Popolazione: ab. 4.293.825	
Capoluogo di regione: Bologna	
Capoluoghi di provincia: Ferrara, Forlì-Cesena, Modena, Parma, Piacenza, Ravenna, Reggio Emilia, Rimini	

La torre degli Asinelli, Bologna

Il capoluogo

Bologna fu fondata dagli etruschi con il nome di *Felsìna*. È il nodo ferroviario più importante d'Italia e la città delle Fiere. È detta "la dotta" per la sua università, la più antica d'Europa (1088) e "la grassa" per la sua squisita cucina (tortellini e ravioli). Il cuore della città è un labirinto medioevale: gli edifici sono costruiti in mattoni a vista[54] di colore rosso che danno al centro storico un aspetto incantevole[55]. Inevitabile è una passeggiata tra le lussuose vetrine dei negozi sotto i suoi portici che si snodano per circa 35 Km e sono i più lunghi del mondo; non solo sono molto pratici perché proteggono dal sole e dalla pioggia, ma sono anche molto suggestivi dal punto di vista architettonico.

Da vedere

▸ *Piazza Maggiore*, dove si trovano eleganti palazzi antichi, la *Cattedrale di San Petronio* e la famosa *Fontana del Nettuno*.

▸ Le Torri, un tempo più di 200, oggi ne sono rimaste solo una decina, tra cui quelle della *Garisenda* e degli *Asinelli*, che sono il simbolo della città.

Le regioni del Centro-Italia

La Toscana

La Toscana è famosa in tutto il mondo per ragioni storiche e culturali, per i suoi paesaggi collinari con ulivi, cipressi e viti, in file diritte. La parte pianeggiante è costituita dalla pianura dell'Arno e dalla fascia costiera in cui c'è la Versilia con Viareggio, centro balneare molto famoso anche per il suo Carnevale.

> **Superficie:** kmq. 22.994
> **Popolazione:** ab. 3.686.377
> **Capoluogo di regione:** Firenze
> **Capoluoghi di provincia:** Arezzo, Grosseto, Livorno, Lucca, Massa Carrara, Pisa, Pistoia, Prato, Siena

- Appartiene alla regione anche l'Arcipelago toscano, di cui l'isola maggiore è l'Isola d'Elba, dove è possibile visitare la villa in cui visse Napoleone.

- Famoso in tutto il mondo è il vino prodotto sulle colline del Chianti. Importanti anche le lavorazioni artigianali della paglia, del cuoio, della ceramica, ecc. La ricchezza della Toscana è comunque legata al turismo.

- Molto caratteristica è la "cascina", la casa di campagna toscana a cui si arriva dopo aver percorso un viale con cipressi: si tratta di una fattoria[56] di pietra, a forma quadrata, con le finestre ad arco e di solito con una torretta al centro.

- A Pisa, città che come Firenze è attraversata dall'Arno, il turista può ammirare la meravigliosa *Piazza dei Miracoli* con il *Battistero*, il *Duomo* e la famosa *Torre pendente*.

- Splendida per la sua architettura medioevale è Siena dove, due volte all'anno, in *Piazza del Campo*, che ha la forma di un ventaglio, si svolge il *Palio*, una spettacolare gara a cavallo tra i cavalieri delle contrade senesi[57]. Cavalieri e dame in costume ci fanno rivivere l'atmosfera del Medioevo.

- Da non dimenticare che in questa regione ha avuto origine la lingua italiana, grazie a tre grandi poeti del Trecento che vi nacquero: Dante, Petrarca e Boccaccio (vedere modulo *Letteratura*).

- Uno dei più noti paesi della Toscana è San Gimignano, le cui torri medioevali si stagliano[58] verso il cielo come grattacieli di un'altra epoca.

- Tra i piatti tipici della cucina toscana ricordiamo la ribollita, una zuppa di verdure che è fatta bollire due volte, e la bistecca alla fiorentina, una bistecca di vitello di almeno 400 gr., alta minimo 3 cm. e cotta alla brace. Da non dimenticare inoltre che a Siena si fa il Panforte, una torta asciutta a base di cacao, mandorle, canditi[59] e spezie.

Piazza dei Miracoli, Pisa

Il centro storico di Firenze

Firenze, Palazzo della Signoria

Firenze dall'Arno

Panorama di Firenze

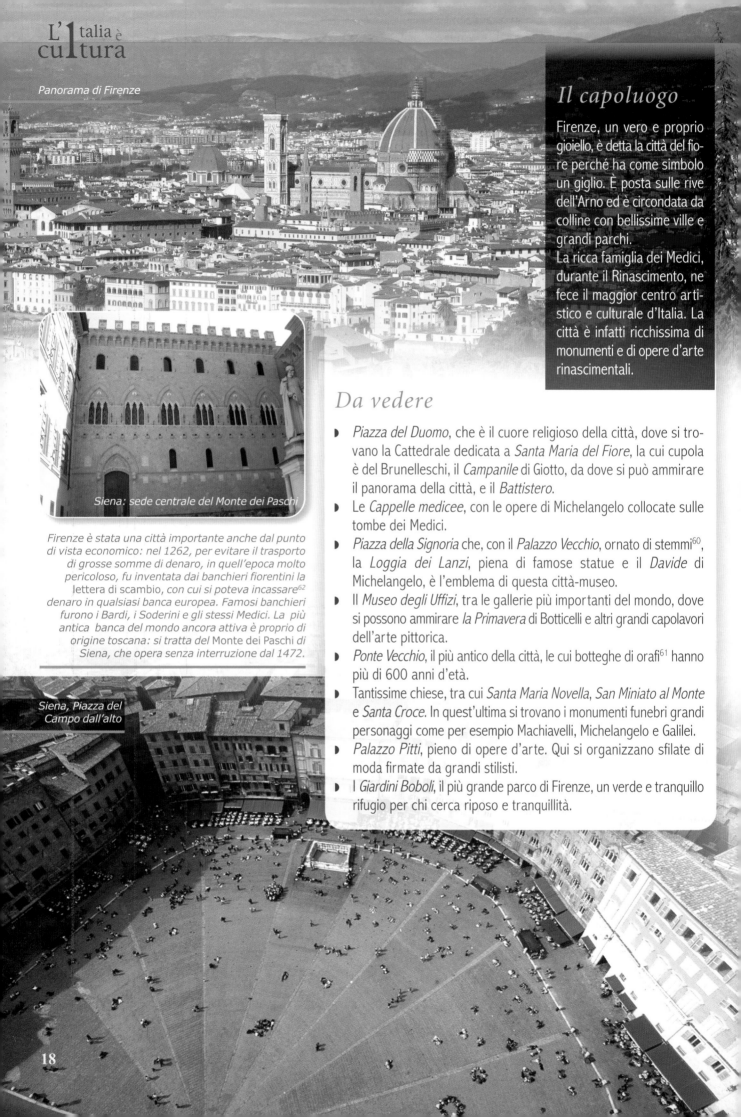

Firenze, un vero e proprio gioiello, è detta la città del fiore perché ha come simbolo un giglio. È posta sulle rive dell'Arno ed è circondata da colline con bellissime ville e grandi parchi.

La ricca famiglia dei Medici, durante il Rinascimento, ne fece il maggior centro artistico e culturale d'Italia. La città è infatti ricchissima di monumenti e di opere d'arte rinascimentali.

Siena: sede centrale del Monte dei Paschi

Firenze è stata una città importante anche dal punto di vista economico: nel 1262, per evitare il trasporto di grosse somme di denaro, in quell'epoca molto pericoloso, fu inventata dai banchieri fiorentini la lettera di scambio, con cui si poteva incassare[62] denaro in qualsiasi banca europea. Famosi banchieri furono i Bardi, i Soderini e gli stessi Medici. La più antica banca del mondo ancora attiva è proprio di origine toscana: si tratta del Monte dei Paschi di Siena, che opera senza interruzione dal 1472.

Da vedere

- *Piazza del Duomo*, che è il cuore religioso della città, dove si trovano la Cattedrale dedicata a *Santa Maria del Fiore*, la cui cupola è del Brunelleschi, il *Campanile* di Giotto, da dove si può ammirare il panorama della città, e il *Battistero*.
- Le *Cappelle medicee*, con le opere di Michelangelo collocate sulle tombe dei Medici.
- *Piazza della Signoria* che, con il *Palazzo Vecchio*, ornato di stemmi[60], la *Loggia dei Lanzi*, piena di famose statue e il *Davide* di Michelangelo, è l'emblema di questa città-museo.
- Il *Museo degli Uffizi*, tra le gallerie più importanti del mondo, dove si possono ammirare *la Primavera* di Botticelli e altri grandi capolavori dell'arte pittorica.
- *Ponte Vecchio*, il più antico della città, le cui botteghe di orafi[61] hanno più di 600 anni d'età.
- Tantissime chiese, tra cui *Santa Maria Novella*, *San Miniato al Monte* e *Santa Croce*. In quest'ultima si trovano i monumenti funebri grandi personaggi come per esempio Machiavelli, Michelangelo e Galilei.
- *Palazzo Pitti*, pieno di opere d'arte. Qui si organizzano sfilate di moda firmate da grandi stilisti.
- I *Giardini Boboli*, il più grande parco di Firenze, un verde e tranquillo rifugio per chi cerca riposo e tranquillità.

Siena, Piazza del Campo dall'alto

Umbria

È l'unica regione dell'Italia centrale che non ha sbocco sul mare. Il territorio è montuoso, ma ci sono anche zone collinose e pianeggianti molto verdi lungo il corso dei fiumi: viene perciò considerata il "cuore verde" d'Italia. Nei pressi di Perugia c'è il lago Trasimeno, il più esteso dell'Italia peninsulare.

▶ Dall'incontro tra due fiumi della regione si formano le famose cascate delle Marmore, alte 165 metri, che alimentano importanti centrali elettriche, le quali hanno permesso lo sviluppo dell'industria per la lavorazione dell'acciaio (le acciaierie di Terni).

Superficie: kmq. 8.456
Popolazione: ab. 893.075
Capoluogo di regione: Perugia
Capoluogo di provincia: Terni

▶ Due le grandi industrie alimentari: la Perugina (nota per i cioccolatini dalla carta argentata con stelle blu in cui c'è un biglietto con una frase d'amore di uno scrittore famoso) e la Buitoni. Nel

Assisi

Ceramiche di Deruta

suo complesso, tuttavia, l'industria nella regione è insufficiente per permettere un vero sviluppo. La bellezza del paesaggio e dei paesi medioevali, così come la presenza di splendide chiese, hanno comunque permesso lo sviluppo del turismo.

▶ Ogni anno, a luglio, nelle vie di Perugia si svolge un'importante manifestazione musicale, *Umbria Jazz*, che attira migliaia di appassionati di musica da tutto il mondo. Si tratta di un festival che inizialmente era dedicato solo alla musica jazz, ma il cui programma oggi è capace di spaziare su ampi orizzonti culturali e vantare la partecipazione di personaggi di assoluto prestigio nel panorama musicale mondiale. È davvero un appun-

tamento unico da non perdere!

▶ Poco lontana dal capoluogo c'è Assisi, nella cui *Basilica*, dedicata a *San Francesco*, il poverello di Dio, nato in queste terre, si possono ammirare gli affreschi di Giotto e Cimabue; ci sono poi Spello, Gubbio, Foligno e Todi, piccoli gioielli medioevali, con eleganti edifici, chiese, piazze e musei.

▶ Sempre in provincia di Perugia si trova Spoleto, dove ogni due anni si svolge il *Festival dei Due Mondi* con spettacoli di vario genere, anche d'avanguardia[63]: opere liriche, teatro di prosa e balletto.

▶ Da visitare senz'altro è Città di Castello, posta su una lieve altura a nord dell'Umbria. È un'importante cittadina non

solo per i suoi antichi monumenti, ma anche per le numerose manifestazioni (folcloristiche e musicali, esposizioni artigianali e agricole) che richiamano ogni anno molti visitatori.

▶ In provincia di Terni si trova Orvieto, celebre per il suo splendido *Duomo*, in stile gotico.

▶ L'antica tradizione artigiana continua in mille piccoli laboratori. Rinomata è la produzione delle fini ceramiche, in giallo e blu, secondo lo stile rinascimentale, provenienti da una piccola cittadina, Deruta, che si trova tra Todi e Perugia. La terracotta di cui la zona è ricca, veniva usata perfino dai Romani!

Perugia, la Fontana Maggiore in Piazza IV Novembre

Il capoluogo

Perugia è una città con elementi tipicamente etruschi (come le mura e l'Arco etrusco), romani e medioevali. L'elegante Corso Vannucci, pieno di negozi, di bar e di ristoranti, taglia in due il centro medioevale della città e sbocca in *Piazza IV Novembre*, dove ci sono i più importanti monumenti dell'epoca comunale: la trecentesca *Cattedrale di San Lorenzo*, la *Fontana Maggiore* e il *Palazzo dei Priori*. Da segnalare che il settecentesco *Palazzo Gallenga* ospita la famosa Università in cui, fin dal 1926, gli stranieri possono apprendere la lingua italiana.

L'Umbria è una regione ricca di folklore e di antiche tradizioni. Fra le manifestazioni piu importanti ricordiamo:

La Corsa dei Ceri a Gubbio

▸ La *Corsa dei Ceri* a Gubbio, nel mese di maggio, una prova di forza e abilità. Si tratta di portare a spalla e di corsa tre ceri di legno, alti ben 5 metri, lungo le strade cittadine, spesso in salita, per giungere alla *Chiesa di Sant'Ubaldo*, protettore di Gubbio.

▸ La *Giostra*[64] della Quintana, di origine medioevale, a Foligno. È una gara tra cavalieri in costume su un cavallo in corsa, i quali rappresentano le 10 contrade cittadine e devono cercare di infilare un anello tenuto da un fantoccio[65] mobile.

La Giostra della Quintana a Foligno

Marche

La regione, il cui nome, di origine tedesca, risale al Medioevo e significa "confine", è quasi tutta montuosa o collinosa. Nonostante la mancanza di pianura, l'attività prevalente[66] dei marchigiani, molto chiusi e legati alla terra, è l'agricoltura.

▸ L'attività industriale è modesta, tuttavia a Pesaro si fabbricano le più rinomate cucine (Scavolini), a Fabriano ci sono le famose cartiere[67], Ascoli è famosa per i calzaturifici[68] (Valleverde) e Castelfidardo per gli strumenti musicali.

▸ La zona costiera ha chilometri di spiagge piatte e sabbiose con località balneari fa-

Superficie: kmq 9.694
Popolazione: ab. 1.421.160
Capoluogo di regione: Ancona
Capoluoghi di provincia: Ascoli Piceno, Fermo, Macerata, Pesaro-Urbino

mose come Fano, Senigallia ecc. e un solo promontorio: il Conero.

▸ Il capoluogo è Ancona, città nota per il porto commerciale, il più grande scalo dell'Adriatico per merci e passeggeri. Di qui partono traghetti per la Croazia, l'Albania e grandi navi per la Grecia.

Le grotte di Frasassi

Il porto di Ancona

turale imponente: le *Grotte di Frasassi*, di gigantesche dimensioni. La cavità[70] maggiore, denominata "Abisso di Ancona", è tra le più grandi in Europa (per dare un'idea delle dimensioni, la grotta potrebbe contenere l'intero Duomo di Milano!). Ogni anno, numerosi turisti visitano questo straordinario mondo sotterraneo di stalattiti e stalagmiti.

▶ Altro importante spazio naturale è il *Parco Nazionale dei Monti Sibillini*, istituito nel 1993, in una zona dell'appennino umbro-marchigiano ricca di vegetazione protetta e rare specie animali.

▶ A pochi chilometri di distanza dal capoluogo, si trova il *Santuario*[69] *di Loreto*, dedicato alla Madonna miracolosa, sempre affollato di pellegrini.

▶ Tra i capoluoghi di provincia si distingue Urbino, una delle più importanti città rinascimentali. Qui il duca Federico da Montefeltro, signore della città dal 1444 al 1482, condusse una vita raffinata di corte in un bellissimo castello, il *Palazzo Ducale*. Il castello, che oggi è possibile visitare, ospita la *Galleria Nazionale delle Marche*, dove c'è una serie di capolavori tra cui *La città ideale* da molti attribuita a Piero Della Francesca e *La Muta* del pittore Raffaello, nato a Urbino. L'economia della città è legata principalmente al turismo e alla sua modernissima università.

▶ A Pesaro è possibile visitare la casa di Rossini, autore di famose opere liriche, tra cui *Il barbiere di Siviglia* e *Otello*.

▶ Le Marche offrono uno spettacolo na-

Urbino

Lazio

È l'antico *Latium*, la terra in cui in epoca preistorica si è stabilito il popolo dei Latini. La regione si stende[71] lungo la costa tirrenica e il territorio è soprattutto montuoso e collinoso. Una parte delle colline, di origine vulcanica, conserva ancora grandi crateri, in alcuni dei quali ci sono ora dei laghi molto pittoreschi, come quelli di Bolsena, di Bracciano, di Vico e molti altri. Le pianure, un tempo paludose e pericolose per la malaria[72], sono state bonificate[73] e trasformate in fertili campagne.

▶ La vita della regione gravita[74] tutta intorno alla capitale, Roma, in cui vive il 70% circa della popolazione laziale. Nel Lazio l'industria conosce un modesto sviluppo nel settore tessile[75], edile[76], petrolchimico, alimentare, dell'abbigliamento e della carta, e impiega il 19,9% di occupati; l'agricoltura ne impiega il 3,3%, mentre un'altissima quota[77] (il 76,7%) di occupati lavorano nel settore terziario, nei servizi e nel commercio, cioè molti sono impiegati negli uffici pubblici della capitale.

▶ A Roma si trova anche la grande "in-

Superficie: kmq. 17.236
Popolazione: ab. 5.602.882
Capoluogo di regione: Roma
Capoluogo di provincia:
Frosinone, Latina, Rieti, Viterbo

dustria" cinematografica di *Cinecittà*, dove sono stati realizzati film famosissimi, italiani e stranieri.

▶ Nel Lazio si trovano importanti parchi, tra cui il *Parco Nazionale del Circeo* che è considerato "aperto", perché, oltre ad animali rari protetti, ospita numerosi centri abitati e attività economiche.

Roma

Piazza di Spagna dall'alto

La Fontana della Barcaccia

Il capoluogo

A formare il volto di Roma, la "città eterna" costruita su sette colli (il Palatino, il Campidoglio, il Quirinale, il Viminale, l'Esquilino, il Celio, l'Aventino), concorrono elementi diversi e contrastanti: da una parte la silenziosa atmosfera della città antica che circonda i resti del Foro Traiano, dall'altra la vivace realtà della città nuova, piena di negozi e... traffico.

A Roma, capoluogo del Lazio, ma anche capitale d'Italia dal 1870, troviamo la sede del Presidente della Repubblica (Palazzo del Quirinale), della Presidenza del Consiglio (Palazzo Chigi), della Camera dei Deputati (Palazzo Montecitorio), del Senato della Repubblica (Palazzo Madama) e della Corte della Consulta (Palazzo della Consulta). Roma è anche sede di molti organismi internazionali. La città conserva innumerevoli monumenti, noti in tutto il mondo.

La bocca della Verità, all'interno della Chiesa di Santa Maria in Cosmedin. Secondo la leggenda, la bocca divora la mano dei bugiardi!

Da vedere

- Il *Foro Romano*, nell'antichità, era la piazza centrale dei romani con Basiliche, templi e monumenti dove si svolgeva la vita civile. Ancora oggi continuano gli scavi e le ricerche archeologiche!
  - La *Piazza del Campidoglio*, che deve il suo odierno[78] aspetto a Michelangelo con la statua dell'imperatore Marco Aurelio nel centro.
- Il *Colosseo*, un enorme anfiteatro, simbolo della città. All'esterno è possibile scattare delle fotografie-ricordo con uomini vestiti da antichi gladiatori[79].
- Gli *Archi di Trionfo* (di Traiano e di Costantino) e le colonne istoriate[80] (di Traiano e di Marco Aurelio), fatti erigere[81] per celebrare le vittorie degli imperatori.
- Chiese e basiliche, luoghi di culto[82] di straordinaria bellezza, tra cui la *Chiesa di San Pietro in Vincoli* in cui si trova la famosa statua del Mosè di Michelangelo.

Il Colosseo

La Fontana dei Quattro Fiumi *in cui il Bernini ha rappresentato allegoricamente il Gange, il Rio della Plata, il Danubio e il Nilo. Si trova davanti alla* Chiesa di Sant'Agnese, *opera del Borromini. Una leggenda racconta che tra i due artisti esisteva una certa rivalità: la statua del Rio della Plata avrebbe il braccio alzato per difendersi dal pericolo che la chiesa possa crollare, mentre la statua di Sant'Agnese avrebbe la testa girata per non guardare la fontana.*

- Le *Catacombe*, dove i cristiani trovavano rifugio durante il periodo delle persecuzioni[83].
- Il *Vittoriano*, un grandioso monumento eretto in onore di Re Vittorio Emanuele II per celebrare l'Unità d'Italia. La scalinata centrale porta all'*Altare della Patria* con la *Tomba del Milite Ignoto*[84], costantemente vigilata da due sentinelle[85].
- Il *Pantheon* (117-138 d.C.), un tempio dedicato a tutte le divinità, con una enorme cupola[86] emisferica illuminata da un'apertura centrale larga 9 metri!
- La *Fontana di Trevi*, grandioso monumento barocco immortalato[87] da Fellini nel film *La Dolce Vita*. Nella vasca della fontana è usanza gettare una monetina per "essere sicuri" di ritornare, un giorno, a Roma.
- Le piazze: prime fra tutte *Piazza Navona*, con le sue tre meravigliose Fontane, tra cui la centrale *Fontana dei Fiumi* (1651), capolavoro del Bernini; *Piazza di Spagna*, con l'affascinante e romantica scalinata che la collega alla *Chiesa della Trinità dei Monti*, da cui si irradiano[88] vie prestigiose con negozi elegantissimi e boutique d'alta moda. In una di queste vie c'è il famoso Caffè Greco, del '700, luogo di ritrovo di grandi artisti italiani e stranieri.
- Pinacoteche e musei, tra le quali la *Galleria di Villa Borghese*, dove c'è una ricca collezione di quadri e sculture.
- *Trastevere*, un pittoresco[89] rione sulle rive del Tevere (il fiume che attraversa la città) che mantiene vive ancora oggi le tradizioni popolari, in particolare romanesche. Al centro del fiume c'è l'Isola Tiberina.
- Tivoli, a poca distanza da Roma, con la meravigliosa *Villa d'Este* circondata da giardini e ben 100 fontane!
- L'E.U.R. (*Esposizione Universale di Roma*) che è un moderno quartiere romano che, progettato e realizzato nel periodo fascista per volere di Mussolini, è stato completato nel '60 in occasione delle Olimpiadi. Ci sono numerosi grandi spazi e costruzioni monumentali[90] in marmo bianco secondo lo stile dell'epoca fascista.

La Fontana di Trevi

Abruzzo

È la regione più montuosa dell'Italia Centrale: si estende per la maggior parte sull'Appennino con le cime dei monti spesso coperte dalla neve. Qui si trovano i monti appenninici più alti che raggiungono quasi i 3000 metri d'altezza: il Gran Sasso (2.914 m) e la Majella (2791m). Le difficoltà ambientali e climatiche rendono l'Abruzzo una regione abitata soprattutto lungo la costa.

Per molti secoli comunque gli abruzzesi si sono dedicati alla pastorizia, ma molti di loro, alla fine dell'Ottocento, sono stati costretti ad emigrare. Anche oggi, nonostante siano nate alcune industrie nella zona litorale e la situazione sia, nel suo complesso, migliorata grazie anche al turismo estivo e invernale, l'Abruzzo resta una delle regioni più povere d'Italia.

- A L'Aquila, il capoluogo, città storica e d'arte, duramente colpita dal terremoto dell'aprile 2009, possiamo visitare la *Basilica di Collemaggio* (XIII sec.), uno dei capolavori dell'architettura romanica[91], l'antica *Fontana delle 99 Cannelle* e il castello (XVI sec.) sede del *Museo Nazionale dell'Abruzzo*.
- Nel 1923, per proteggere alcune specie animali in via d'estinzione[92] e per salvaguardare[93] la flora, è nato il *Parco Nazionale d'Abruzzo*, un ambiente naturale di eccezionale interesse. Un ospite privilegiato è l'orso bruno che conta un centinaio di esemplari[94]. L'isolamento dell'Abruzzo ha favorito la conservazione di antiche tradizioni. Una delle più

antiche è quella del paese di Cocullo: a maggio è portata in processione la statua di San Domenico ricoperta da serpenti che vengono raccolti sulle montagne vicine da alcuni uomini, detti appunto serpari. Si dice che il santo protegga dal morso mortale del serpente!

- In occasione delle feste natalizie, anche al di là dei confini della regione, è possibile sentire il suono nostalgico della zampogna, strumento a fiato simili alla cornamusa, costituita da una o più canne che ricevono aria da un sacco di pelle (detto otre) di montone, che il suonatore, lo zampognario, mantiene gonfio soffiando dentro un cannello.

Superficie: kmq.10.794
Popolazione: ab. 1.332.536
Capoluogo di regione: L'Aquila
Capoluoghi di provincia: Chieti, Pescara, Teramo

L'Aquila: la fontana delle 99 Cannelle

Molise

Superficie: kmq. 4.438
Popolazione: ab. 320.838
Capoluogo di regione: Campobasso
Capoluogo di provincia: Isernia

È la più giovane delle regioni italiane, poiché fino al 1963 il suo territorio non era diviso da quello abruzzese.

Come l'Abruzzo, è una regione montuosa e poco sviluppata da cui molti molisani sono emigrati, tra questi anche i nonni di Robert De Niro.

▸ L'attività più importante è l'agricoltura, nonostante le grandi difficoltà causate dai terreni poco fertili. Negli ultimi anni si è cercato di dare impulso all'industria della regione, costituita soprattutto da imprese artigianali, e al turismo, ancora poco rilevante.

▸ I molisani sono gente fiera[95], come lo erano i Sanniti, loro antenati, che combatterono contro i Romani e a cui inflissero[96] una dura e umiliante[97] sconfitta. La vittoria finale, però, fu di Roma, che in questo territorio ha lasciato alcune importanti vestigia[98]: qui, infatti, ci sono i resti della città romana di Sepino con il foro e il teatro.

▸ Notevole la produzione artigianale di oggetti in rame, in legno o in ceramica e di merletti. Bisogna ricordare anche la fabbricazione di campane: ad Agnone, infatti, esiste una delle ultime fabbriche artigianali del settore.

Sepino: il teatro romano

Campania

Superficie: kmq. 13.595
Popolazione: ab. 5.813.542
Capoluogo di regione: Napoli
Capoluoghi di provincia: Avellino, Benevento, Caserta, Salerno

La Campania è la seconda regione più popolata d'Italia. La popolazione non è però distribuita in modo uniforme, ma si concentra soprattutto sulla fascia costiera e a Napoli. Gli insediamenti in questa regione risalgono a tempi antichissimi, come testimoniano i numerosi resti greci e romani diffusi un po' dovunque. Come mai? Ce lo spiega lo stesso nome che le fu dato dai Romani, *Campania felix*, cioè felice: per la fertilità del terreno, per la dolcezza del clima e per i magnifici paesaggi.

▸ Molto caratteristica è l'industria artigianale per la lavorazione del corallo a Torre del Greco e quella delle porcellane di Capodimonte.

▸ La Campania è una regione ricca di vulcani. Il più famoso è il Vesuvio che nell'eruzione del 79 d.C. seppellì[99] interamente Pompei ed Ercolano, due città romane riportate poi alla luce dagli scavi archeologici iniziati nel 1748.

▸ A Paestum (Salerno), la città di

Le rovine di Pompei

Il Vesuvio

Posidone, a pochi chilometri dal mare, fondata da coloni[100] greci, si trovano tre templi bellissimi, che si sono conservati quasi intatti fino ai nostri giorni, e anche la *Tomba del tuffatore*[101] con pitture del V secolo.

▶ Nel Golfo Di Napoli si trovano le isole di Procida, Ischia e Capri. Quest'ultima, con la Grotta azzurra, è una delle località più celebri del mondo, ricordata da scrittori antichi e moderni.

▶ Di rara bellezza la costiera amalfitana. Qui la costa è a picco sul mare[102] e i piccoli centri, con le case colorate immerse tra gli alberi e i fiori, sono arroccati sulla roccia[103]. Ricordiamo Ravello, Sorrento, Positano e Amalfi. Quest'ultima fu la più antica delle Repubbliche marinare. Ogni anno, il *Duomo d'Amalfi* è meta di milioni di turisti.

▶ Caserta è famosa per il settecentesco *Palazzo Reale* (o anche *Reggia di Caserta*), il più grande d'Italia, con immensi giardini e numerose fontane.

Il capoluogo

Napoli, la capitale del Mezzogiorno d'Italia, è una delle più antiche città italiane (V sec. a.C.) di origine greca : il suo nome, infatti, significa "città nuova". La città è splendida, ricca di chiese e monumenti storici. I suoi simboli sono il Golfo e il Vesuvio, ma anche la pizza, il caffè, Pulcinella, la tarantella, i panni stesi ad asciugare e... Sofia Loren. Sempre generosa, Napoli ha lasciato nella memoria internazionale canzoni e artisti importanti nel campo dello spettacolo e del teatro.

Purtroppo, accanto alle regge e ai ricchi palazzi, ci sono case poverissime e buie (i "bassi") dove vive una moltitudine di disoccupati che passa la giornata nei vicoli o nelle strade. La famosa "arte di arrangiarsi", cioè di inventarsi un'occupazione per sopravvivere, purtroppo si trasforma spesso in malavita organizzata, detta Camorra. Eppure non a caso si dice "Vedi Napoli e poi muori" per ricordare che chi non ha visto questa città e non ne conosce la bellezza, non può morire sereno.

Napoli, panorama notturno

Da vedere

▶ Il *Castel Nuovo*, una gigantesca fortezza[104] che risale al 1282, con quattro massicce torri il cui profilo si staglia nitido[105] a poca distanza dal porto.

▶ *Piazza del Plebiscito*, con il *Palazzo Reale* del XVII sec., che è il luogo preferito dai napoletani per una passeggiata in città.

▶ La *Galleria Umberto I*, definito "il salotto di Napoli"; nel teatrino sotterraneo, c'è il Salone Margherita, il primo *cafè-chantant* mai aperto in Italia.

▶ L'antica Università degli Studi di Napoli Federico II, nata nel 1224, famosa soprattutto per i suoi studi filologici.

Napoli, Castel Nuovo

Una delle vie più antiche di Napoli è Via San Gregorio Armeno che durante le feste natalizie diventa la strada più vivace e affollata della città. Tutti gli artigiani della zona espongono nelle loro botteghe tutto ciò che serve per costruire il presepe, una rappresentazione della natività, cioè della nascita, di Gesù. Alcuni pastori sono creati secondo la scuola settecentesca, con legno, terracotta, stoppa[109] e vestiti con stoffe antiche. Nel museo di San Martino è possibile ammirare una ricca collezione di straordinari presepi.

- Il *Teatro San Carlo*, il più antico teatro lirico d'Europa (1737).
- Il lungomare di Via Partenope con il *Castel dell'Ovo* e gli alberghi più lussuosi della città.
- Tantissime chiese, tra cui la *Chiesa di Santa Chiara*, molto lineare, con il monastero e il chiostro maiolicato[106], e il Duomo, in stile gotico, con la *Cappella di San Gennaro* dove sono cu-

I "Faraglioni" di Capri

stodite le reliquie[107] del santo patrono della città, il cui culto è particolarmente sentito.
- Una passeggiata nella Napoli sotterranea, in un'atmosfera irreale tra gli stretti passaggi a lume di candela.
- Il *Cimitero delle Fontanelle*, dove ci sono migliaia di teschi[108] e ossa di morti senza nome che godono di cure e attenzioni da parte dei fedeli in cambio di "protezione" e di... una vincita al Lotto.
- *Castel Sant'Elmo* e la *Certosa di San Martino*, raggiungibili con la funicolare (una specie di trenino teleferico), sulla collina del Vomero, da dove si ammira l'incantevole panorama della città.

Veduta di Ravello

- La *Pinacoteca di Capodimonte* e il *Museo Archeologico*, tra i più importanti del mondo.
- Mergellina, un tempo zona dei pescatori, in riva al mare e ai piedi della collina di Posillipo, dove le ville con vista sul mare sono letteralmente immerse nel verde.

Barocco leccese: facciata della Basilica di Santa Croce, Lecce

Puglia

È situata all'estremo Sud-est della penisola ed è bagnata da due mari, il Mar Adriatico e il Mar Ionio. Il territorio è quasi completamente pianeggiante e comprende due pianure: la piana di Lecce e il Tavoliere delle Puglie. Quest'ultima è la pianura più vasta dell'Italia del Sud. La mancanza di acqua è il più grande problema della regione.

Attualmente la Puglia è il maggior produttore italiano d'olio d'oliva.

La Puglia è anche una regione dove ci sono zone industriali: quelle di Taranto e di Brindisi si basano sull'industria siderurgica e petrolchimica, mentre quella

Superficie: kmq. 19.362
Popolazione: ab. 4.072.251
Capoluogo di regione: Bari
Capoluoghi di provincia: Barletta-Andria-Trani, Brindisi, Foggia, Lecce, Taranto

di Bari è più varia (meccanica, alimentare, tessile). Le città citate hanno tutte e tre un porto. Tuttavia il reddito pro capite è ancora inferiore alla media nazionale.

Le attività turistiche, soprattutto balneari (secondo *Legambiente*, un'importante organizzazione ecologista italiana, in Puglia c'è il mare più pulito d'Italia), conoscono un continuo sviluppo: nel Gargano, una zona collinare al nord della Puglia, nelle piccolissime isole Tremiti, che stanno acquistando un'importanza crescente e nella Penisola Salentina. Una zona collinare pugliese, le Murge, è nota per le stupende *Grotte di Castellana* e per le caratteristiche abitazioni: i *trulli*.

La città più ricca di monumenti artistici è Lecce, chiamata "la Firenze del Sud". Lo stile barocco è presente sulle facciate e su tutti gli elementi architettonici delle chiese e degli edifici più importanti, molti dei quali in pietra dorata.

Da visitare senz'altro la *Chiesa di Santa Croce*, l'apoteosi del barocco! Vicino a Lecce si trova Calimera, un paesino che, insieme con altri dieci, costituisce l'isola ellenofona salentina, dove gli abitanti parlano anche il *griko*, una strana lingua che deriva dal greco antico.

Il capoluogo

Bari è la sede della Fiera del Levante, un'importante esposizione internazionale che è un centro di scambi tra l'Italia e gli altri paesi che si affacciano sul Mediterraneo. È chiamata "California selvaggia" per il suo sviluppo caotico. Dal porto, attraverso un labirinto di strade con piccole botteghe, sempre piene di gente, si arriva alla *Basilica di San Nicola*, la più severa di tutte le costruzioni romaniche pugliesi.

Ad Andria, poco distante dal capoluogo, sorge il Castel del Monte. Si tratta di uno dei castelli medioevali più belli del mondo, che fu fatto costruire nel XII sec. dall'imperatore Federico II a cui piaceva molto andare a caccia in quelle zone. È come un blocco di pietra dalla forma ottagonale[110], su ognuno degli otto angoli c'è una torre, anche questa ottagonale.

Alla fine del 1500 si fanno risalire i trulli, abitazioni caratteristiche che si trovano tra le province di Bari, Brindisi e Taranto. Il loro nome significa "cupola" e sta a indicare il tetto conico che copre tali abitazioni rurali[111] a forma cilindrica. Ogni trullo è tutto bianco con il tetto di pietra grigia e ha una sola stanza, senza finestre. Tra i più famosi ci sono quelli di Alberobello, piccolo paesino in cui a Natale c'è la tradizione del Presepe vivente.

Basilicata (o Lucania)

La regione, che si affaccia per un piccolo tratto su due mari (Mar Ionio e Mar Tirreno), è una delle più piccole e più arretrate d'Italia a causa del terreno montuoso. L'altro nome con cui viene indicata questa regione è Lucania, che deriva dal latino *lucus*, "bosco", e sta a indicare che un tempo era una zona ricca di boschi, abitati da molti animali: lupi, orsi, ecc. Oggi però i boschi sono quasi inesistenti e al loro posto c'è un paesaggio lunare[112]. Solo l'8 % del territorio è pianeggiante e coltivabile e l'agricoltura, che è la principale fonte economica, produce redditi bassi. È pertanto una regione molto povera e poco popolata anche a causa della forte emigrazione. L'industria regionale è molto scarsa, però, negli ultimi tempi, dopo il ritrovamento di alcuni giacimenti di metano[113] e di petrolio nel territorio, si stanno sviluppando gli impianti petrolchimici e quelli di materie plastiche.

Superficie: kmq. 9.992
Popolazione: ab. 597.768
Capoluogo di regione: Potenza
Capoluogo di provincia: Matera

Da vedere

I Sassi[114] di Matera, sono un intero quartiere (con case, stalle per animali e chiese) scavato nel tufo, una pietra morbida. Le abitazioni sono disposte una sull'altra, in modo geniale e caotico, in modo che il pavimento dell'una sia anche il soffitto dell'altra sottostante[115], fino ad arrivare anche a dieci piani scavati uno sull'altro. In molte di queste chiese rupestri, cioè che sono realizzate sulla parete rocciosa di un monte, ci sono affreschi dipinti da monaci tra l'VIII e il XIII sec. Fino al 1950, nei Sassi vivevano ancora molte persone in condizioni igieniche di-

I Sassi di Matera

sastrose! Dopo decenni di abbandono, però, nel 1993 i Sassi di Matera sono stati inseriti dall'UNESCO nella lista del Patrimonio Mondiale dell'Umanità e oggi fortunatamente, essendo un punto d'attrazione per i turisti, sono in via di restauro[116] e ritornano a essere una parte viva della città.

Calabria

Come la Puglia è «il tacco», così la Calabria, terra affascinante e misteriosa, è la punta estrema dello «stivale Italia». Quanto la Puglia è pianeggiante, tanto la Calabria è ricca di montagne che scendono fino al mare. Terra dai forti contrasti; coste basse e sabbiose sul versante ionico, coste alte e dirupate[117] sul versante tirrenico; mare e aspre montagne, come rivela il nome del gruppo montuoso che si trova nel Sud della regione, detto appunto Aspromonte. La zona al centro della Sila, un altopiano che raggiunge i 1400 metri di altitudine, e il massiccio del Monte Pollino sono

così belli e verdi che vi sono stati istituiti due Parchi Nazionali.

Data la posizione, grande importanza hanno le comunicazioni marittime: il porto di Gioia Tauro è il primo in Italia e tra i primi in Europa per il traffico di container, mentre il porto di Villa San Giovanni è un punto di transito obbligatorio per le comunicazioni con Messina e la Sicilia.

‣ Nella stretta terra intorno a Reggio matura il bergamotto, un agrume[118] particolare che viene molto usato nei profumi, e anche il gelsomino, una pianta profumata che rende me-

> **Superficie:** kmq. 15.080
> **Popolazione:** ab. 2.007.707
> **Capoluogo di regione:** Catanzaro
> **Capoluoghi di provincia:** Cosenza, Crotone, Reggio di Calabria, Vibo Valentia

Non tutti conoscono l'origine del nome Italia. Sembra che derivi dalla parola vituli, il popolo dei vitelli, come si chiamavano gli abitanti della punta meridionale della Calabria in quanto adoravano i vitelli. I primi coloni greci cambiarono vituli in itali e chiamarono quella terra Italia. Successivamente i romani estesero il nome a tutta la penisola. Un'altra ipotesi è che invece «italia» derivi da italoi che significava abitanti dei monti e indicava gli abitanti di quella regione che vivevano sui monti. Anche questa ipotesi è verosimile[119] in quanto i primi abitanti della Calabria vivevano sui monti. In ogni modo, ambedue le ipotesi confermano l'origine del nome che proviene da questa regione.

La cittadina di Scilla, in Calabria

ravigliosa tutta la costiera da Reggio a Stilo.

- Nella zona dello Stretto è sviluppata una pesca particolare, quella del pesce spada, con cui si preparano molti piatti tipici.

- Purtroppo la regione, complessivamente, ha un bassissimo reddito per abitante e questo ha favorito la presenza di un'organizzazione mafiosa, detta 'Ndrangheta. L'unica speranza resta lo sviluppo turistico. La Calabria infatti offre molto ai turisti: mari puliti lungo gli 800 km. di coste in località abbastanza attrezzate (tra le più rinomate: Scalea, Praia, Tropea), montagne boscose, piene di alberi (la Sila), resti archeologici delle colonie greche sparsi un po' dappertutto (Sibari, Crotone, Locri, Metaponto).

- Nel *Museo di Reggio Calabria*, sono conservati i *Bronzi di Riace*, due magnifiche statue greche in bronzo che risalgono al V sec. a.C., scoperte per caso da un subacqueo[120] nel 1972 in uno specchio d'acqua di fronte al paese di Riace (Reggio Calabria).

Sicilia

È la più grande regione italiana e la più grande isola del Mediterraneo. È separata dal "continente" dallo Stretto di Messina e ha un territorio prevalentemente collinoso, dominato dall'imponente cono dell' Etna, il vulcano più grande d'Europa tuttora attivo.

- La Sicilia è una regione autonoma a statuto speciale.

- La regione è molto fertile e produce principalmente uva, agrumi e mandorle, con cui si preparano dolci e liquori tipici (come il marsala). Molto attiva è la pesca, in particolare quella del tonno. Dal sottosuolo si estrae[121] zolfo[122] e altri minerali. Non mancano le industrie.

- Purtroppo, però, nel suo complesso lo sviluppo della Sicilia è insufficiente rispetto ai bisogni della popolazione. La regione è afflitta[123] da tanti problemi che hanno cause lontane e complesse, come la mancanza d'acqua e la presenza di un'organizzazione illegale, la mafia. Si cercano, perciò, soluzioni e sbocchi economici.

> **Superficie:** kmq. 25.708
> **Popolazione:** ab. 5.034.227
> **Capoluogo di regione:** Palermo
> **Capoluoghi di provincia:** Agrigento, Caltanissetta, Catania, Enna, Messina, Ragusa, Siracusa, Trapani

La Sicilia vista dal satellite. Evidente l'eruzione del vulcano Etna

La Cattedrale di Palermo

I mosaici del Duomo di Monreale

Il Duomo di Cefalù

- L'industria più redditizia[124], comunque, resta quella turistica. Ogni anno molti sono i turisti che decidono di trascorrere le loro vacanze nelle note località di villeggiatura vicino al mare (Taormina, Cefalù e molte altre) o sulle bellissime isole (Eolie, Egadi) o nei numerosi luoghi di interesse culturale. La regione, infatti, per il suo felice clima e la fertilità del terreno, ha richiamato nei secoli l'attenzione di diversi popoli, ognuno dei quali vi ha lasciato numerose tracce: dai templi greci agli acquedotti e ai mosaici romani, dagli edifici in stile arabo ai suggestivi palazzi spagnoli.

- *Taormina* è la località turistica più famosa di tutta la Sicilia perché offre, oltre alle bellezze naturali, un antico teatro greco (III sec. a. C), nel quale ancora oggi è possibile assistere a spettacoli di rilievo internazionale.

- Il più importante teatro greco si trova a Siracusa; ma è possibile ammirarne anche ad Agrigento, a Tindari, a Segesta e Selinunte.

- A pochi chilometri da Agrigento si trova la spettacolare Valle dei Templi, zona così chiamata per i numerosi templi edificati nel V secolo a.C. È un posto bellissimo, soprattutto in primavera quando ci sono i fichi d'India e i mandorli in fiore.

- Presso Enna, nel paese di Piazza Armerina, è possibile ammirare gli straordinari mosaici di *Villa del Casale*, di epoca romana (IV sec. d.C.): unici nel loro genere, occupano circa 3500 mq. con scene di mitologia e di vita quotidiana. Famosa la scena con le donne in "bikini" che fanno ginnastica.

- In provincia di Palermo, è possibile visitare il *Duomo di Cefalù* e il *Duomo* con il *Chiostro di Monreale*. Quest'ultimo complesso è considerato un po' il simbolo della Sicilia in quanto qui sono felicemente combinati diversi stili architettonici (romanico, bizantino e arabo). Bellissimi i mosaici a fondo oro, opera di maestri bizantini e arabi, che vi lavorarono nel corso del XII secolo. Con i mosaici è decorato il Duomo per ben 6500 metri di superficie: nell'abside centrale c'è la solenne immagine del Cristo Pantocratora e nella navata centrale episodi biblici, tratti dall'Antico e Nuovo Testamento, ed episodi che si riferiscono ai re normanni.

- A Cefalù c'è il teatro dell'*Opera dei pupi* della compagnia Cuticchio: si tratta del teatro tradizionale delle marionette siciliane che comprende principalmente le storie cavalleresche dell'epoca dei paladini[125] di Francia e del re Carlo Magno. Accanto al teatro c'è una mostra con marionette, scene e cartelli. Oggi le marionette sono anche un souvenir da acquistare.

- Assolutamente da assaggiare almeno tre dei tanti dolci siciliani: la pastiera, la cassata e il cannolo, fatti con la ricotta. Ma non dimenticate il marzapane! C'è da leccarsi le dita[126]!

Il capoluogo

- Palermo si trova in una splendida posizione, tra il mare, gli aranci e le palme di una famosa valle, detta Conca d'Oro. È una città piena di contrasti: accanto a opere d'arte di ogni epoca e a sontuosi palazzi nobiliari, in cui l'aristocrazia ha lasciato le sue tracce, ci sono zone molto povere e degradate e vie piene di negozi e traffico.

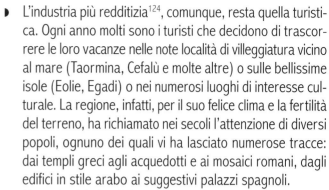

Da vedere

- I mosaici di *Palazzo Reale* a Palermo, costruito dai normanni con Ruggero II (XII sec.) su un antico palazzo arabo e la *Cappella Palatina*[127] al suo interno.

- Sempre a Palermo, tantissime chiese, prima fra tutte la *Cattedrale* che, sorta su un preesistente edificio di culto musulmano, è la risultante di varie aggiunte e modifiche avvenute nei secoli, con la cappella dedicata a Santa Rosalìa, la protettrice della città. La *Chiesa di San Giovanni degli Eremiti*, con le cupole rosse e la semplice geometria di gusto orientale, il cui chiostro è bellissimo, pieno di profumatissimi aranci e gelsomini.

- Il *Museo Archeologico Regionale* e la *Galleria Regionale*, dove ci sono molte opere d'arte di varia provenienza.

La granita. Quando arriva l'estate, nei bar siciliani non si ordina il cappuccino o l'espresso, ma la granita al caffè o alla frutta.

Taormina

Sardegna

Superficie: kmq. 24.090
Popolazione: ab. 1.672.422
Capoluogo di regione: Cagliari
Capoluoghi di provincia: Carbonia-Iglesias, Medio Campidano, Nuoro, Ogliastra, Olbia-Tempio, Oristano, Sassari.

Sulla costa Smeralda, così chiamata per il colore verde delle acque, ci sono ville, alberghi di lusso, boutique elegantissime che, però, appartengono a società internazionali o del continente e quindi non rappresentano un guadagno per la popolazione sarda, che spesso è costretta ad emigrare.

È la seconda isola del Mediterraneo e dista dal continente circa 200 chilometri. Per molti secoli è vissuta perciò in isolamento sviluppando una propria civiltà, molto originale. È una regione molto pittoresca e selvaggia con monti, altipiani, pianure e coste rocciose e frastagliate[128]. Pur vivendo su un'isola, i sardi non sono mai stati marinai, probabilmente perché nel Medioevo la costa era infestata[129] da paludi e zanzare[130], portatrici di una terribile malattia, la malaria. Sono pertanto vissuti di agricoltura e pastorizia. La Sardegna è rimasta una terra di pastori: è la prima regione d'Italia nell'allevamento di ovini (cioè capre e pecore). Comunque, anche se oggi, per favorire il suo progresso economico, sono stati costruiti alcuni grandi complessi industriali (che purtroppo non stanno dando i frutti sperati), si può dire che la fonte maggiore di reddito dell'isola è costituita dal turismo, molto sviluppato sulle isole dell'Arcipelago di La Maddalena e sulla costa.

I nuraghi, caratteristici e misteriosi monumenti preistorici sardi a forma di tronco di cono, forse erano delle fortezze per difendersi dai nemici o delle torri di avvistamento. Costruite con pietre a secco, a tre o quattro piani, raggiungono perfino i trenta metri d'altezza. In tutta l'isola rimangono circa 7000 costruzioni di questo tipo, fra cui notissime quelle di Abbasanta e Torralba.

> La Sardegna è una regione autonoma a statuto speciale.

> I sardi parlano il sardo, riconosciuto come lingua ufficiale, che è più di un dialetto. È una vera e propria lingua molto simile al latino, con le sue varietà all'interno della regione.

> Molto apprezzati, anche all'estero, sono l'artigianato e la lavorazione del sughero[131] che qui è molto abbondante.

> Ogni anno il giorno di Sant'Antonio in una località inaccessibile[132] della zona chiamata Barbagia si rinnova l'antico rito dei *Mammutones*: alcuni uomini, per allontanare il male, fanno il giro del paese, con una mostruosa maschera di legno sulla faccia e vestiti con pelli di capra e campanacci.

> Un fenomeno vagamente paragonabile alla mafia esiste anche in Sardegna: il banditismo. Un tempo i banditi erano pastori i quali cercavano di sopravvivere, rubando bestiame. Poi, negli anni '60 si sono trasformati in un'organizzazione criminale dedita soprattutto ai sequestri di persona[133].

> Nell'isola ci sono tre *Parchi Nazionali* (*dell'Asinara*, *dell'Arcipelago di La Maddalena* e *del Gennargentu*), parchi regionali e riserve marine. Qui è tutelata anche una fauna particolare, costituita da asinelli di piccola statura, cavalli selvaggi, cervi e dalla rarissima foca monaca.

Città del Vaticano

Superficie: kmq. 0,44
Popolazione: ab. 805

È il più piccolo stato del mondo, nato nel 1929 in seguito a un accordo, i Patti Lateranensi, tra lo Stato italiano fascista e la Chiesa cattolica.

> È la sede del Papa, monarca assoluto dello Stato Vaticano e capo spirituale dei cattolici di tutto il mondo. Il Vaticano ha una stazione radio (Radio Vaticana) e un quotidiano (l'Osservatore Romano). Ha anche una sua moneta ed emette francobolli da collezione.

> A difesa dello Stato Pontificio ci sono le Guardie Svizzere, la cui uniforme ufficiale, a strisce[134] gialle, rosse e blu, è stata disegnata nel 1914, ed è ispirata agli affreschi rinascimentali di Raffaello.

> Questo territorio, pur così piccolo, custodisce alcuni dei capolavori artistici più famosi dell'umanità, ammirati ogni anno da milioni di turisti.

Statua di S. Pietro

Edizioni Edilingua

PIVS·IX·P·M·

33

Da vedere

◗ Prima fra tutte, la *Basilica di San Pietro*, con il colonnato del Bernini e la splendida cupola, opera di Michelangelo. Nell'enorme piazza antistante[135], ogni domenica, il Papa rivolge un discorso alla folla di fedeli che si riunisce in preghiera.

◗ I *Palazzi Vaticani*, residenza del Papa, con stanze dipinte da Raffaello.

◗ I *Musei* e le *Biblioteche Vaticane*.

◗ La *Cappella Sistina*, una delle opere più grandiose di tutti i tempi, con gli affreschi di Michelangelo.

La Basilica di San Pietro

Repubblica di San Marino

Si trova sulle pendici[136] del Monte Titano, tra Emilia Romagna e Marche. È uno stato indipendente e piccolissimo. Secondo la leggenda, la storia di San Marino ha inizio nel IV sec. d.C., quando uno scalpellino[137] di nome Marino si stabilì su quel monte con altre persone per sfuggire alle persecuzioni contro i cristiani. Nell'XI sec. era già un libero comune che, con il passare dei secoli, aumentò la sua autonomia.

◗ Ha un governo democratico costituito dal Consiglio Generale (60 membri eletti dal popolo), che ha il potere legislativo, e dal Congresso di Stato (eletto dal Consiglio), che ha il potere giudiziario. Ogni sei mesi il Congresso elegge due Capitani, che sono i Capi di Stato.

◗ La piccola Repubblica è strettamente legata all'Italia per lingua, usi e costumi.

◗ Gli abitanti vivono specialmente di turismo.

◗ In questa piccola città-Stato si può visitare la *Basilica*, in stile neoclassico e dedicata a San Marino patrono della città, il *Museo filatelico*, il *Museo delle torture medioevali* e le *Torri antiche*. San Marino, inoltre, offre al turista la possibilità di acquistare tanti souvenir, fra cui i francobolli da collezionare.

Ciò che però è veramente splendido è il panorama che si gode dalle tre rocche: monti, pianura e mare in un solo colpo d'occhio!

Superficie: kmq. 61
Popolazione: ab. 30.950
Capitale: San Marino

Il Palazzo Pubblico, San Marino

Glossario

1 *fertile* = produttivo, che dà frutti

2 *affacciarsi* = essere rivolto verso

3 *ad arco* = che ha una forma curva

4 *snodarsi* = allungarsi, avere un percorso non lineare

5 *spina dorsale* = (fig.) colonna vertebrale, struttura portante dello scheletro

6 *affiancato* = che è posto vicino

7 *affluente* = fiume che finisce il suo corso in un fiume più grande

8 *cordone* = banco allungato di sabbia creato dalle onde del mare

9 *digradante* = che si abbassa a poco a poco

10 *portico* = struttura coperta, sorretta da pilastri o con pilastri su un lato

11 *duomo* = la cattedrale, la chiesa principale, di una città

12 *custodire* = conservare

13 *crocifissione* = le sofferenze di Gesù sulla croce

14 *nodo* (stradale) = punto d'incontro di più strade

15 *essere in vigore* = avere efficacia, validità

16 *correlato* = collegato, che ha relazione con qualcosa

17 *funivia/seggiovia* = la prima è un complesso di cabine che si spostano lungo una fune per il trasporto di persone. Se, invece di cabine, ci sono sedie si dice seggiovia

18 *le mura merlate* = da *merlo*, motivo architettonico della parte alta delle mura che consiste in un rialzo del parapetto posto, per ripararsi, a intervalli regolari

19 *sgargiante* = molto vistoso

20 *ricamato* = decorato con ricami, con lavori artistici fatti con ago e cotone su tessuto

21 *prestarsi* (a) = offrirsi, dare la propria disponibilità

22 *fitto* = denso, molto ricco (in questo caso)

23 *culinario* = relativo al cucinare

24 *zafferano* = una pianta usata in cucina che dà ai cibi un colore giallo e un sapore particolare

25 *guglia* = ornamento a punta caratteristico dell'architettura gotica

26 *a strapiombo* = che scendono improvvisamen-te in verticale

27 *scarsità* = insufficienza, mancanza

28 *suggestivo* = affascinante

29 *vicolo* = strada molto stretta

30 *viticoltura* = coltivazione della vite, la pianta che produce l'uva e con cui si fa il vino

31 *tensione etnica* = contrasto tra persone di diverse etnìe

32 *industria petrolchimica* = industria dove si realizza la trasformazione chimica del petrolio

33 *merletto* = motivo decorativo usato sui tessuti

34 *sorgere* = alzarsi, essere visibile in tutta l'altezza

35 *mais* = cereale

36 *inchiostro della seppia* = liquido nero della seppia, animale marino simile al polipo

37 *poggiare* = sostenersi, appoggiarsi

38 *tronco di albero* = corpo, fusto, la parte principale dell'albero

39 *sprofondare* = affondare

40 *porticato* = complesso di portici (cfr. nota 10)

41 *fastoso* = molto ricco ed elegante

42 *buio* = senza luce

43 *facciata* = la parte anteriore ed esterna di un edificio

44 *risalire* = avere origine

45 *bottega* = negozio e laboratorio dell'artigiano

46 *incendio* = fuoco che si diffonde in modo violento e distrugge qualsiasi cosa

47 *stalattiti e stalagmiti* = create da gocce d'ac-qua, hanno la forma di cono di pietra calcarea e pendono rispettivamente dal soffitto o si innalzano da terra all'interno di una grotta

48 *innevato* = coperto di neve

49 *crocevia* = incrocio, punto dove le vie s'incontrano, formando una croce

50 *patrono* = il santo che protegge una città, un paese

51 *omonimo* = che ha lo stesso nome

52 *stazione balneare* = località organizzata per le vacanze estive

53 *(incontro) mondano* = incontro tra persone che hanno una vita sociale intensa

54 *mattoni a vista* = con i mattoni che si vedono perché non sono ricoperti di intonaco

55 *incantevole* = bellissimo, che lascia a bocca aperta

56 *fattoria* = azienda agricola

57 *contrada* = quartiere

58 *stagliarsi* = risaltare, distinguersi

59 *candito* = frutta dolcificata attraverso uno specifico trattamento

60 *stemma* = l'emblema, il simbolo di famiglie aristocratiche

61 *orafo* = chi lavora l'oro

62 *incassare* = riscuotere, prendere soldi

63 *spettacolo d'avanguardia* = spettacolo molto moderno, innovativo

64 *giostra* = nel Medioevo e nel Rinascimento, giochi a cavallo eseguiti da cavalieri in armi

65 *fantoccio* = pupazzo che ha la forma di una persona

66 *prevalente* = principale, più diffuso

67 *cartiera* = industria dove si fabbrica la carta

68 *calzaturificio* = fabbrica di calzature, scarpe

69 *santuario* = luogo di alto valore religioso

70 *cavità* = spazio irregolare interno a qualcosa

71 *stendersi* = occupare un certo spazio

72 *malaria* = malattia infettiva trasmessa all'uomo da insetti

73 *bonificare* = rendere coltivabili terreni paludosi

74 *gravitare* = girare intorno ad un punto

75 *tessile* = della stoffa, dei tessuti

76 *edile* = aggettivo di edilizia, cioè la costruzione di edifici

77 *quota* = percentuale

78 *odierno* = di oggi

79 *gladiatore* = nella Roma antica: lo schiavo che combatteva nell'arena contro uomini o animali

80 *istoriare* = decorare con immagini in sequenza che rappresentano e descrivono una storia

81 *erigere* = innalzare, costruire

82 *culto* = pratica religiosa

83 *persecuzione* = violenta ostilità contro una minoranza con il fine di sterminarla

84 *milite ignoto* = tomba di un soldato non conosciuto, simbolo di tutti i militari morti in guerra

85 *sentinella* = soldato armato che fa la guardia

86 *cupola* = struttura architettonica dalla forma semisferica

87 *immortalare* = rendere immortale

88 *irradiarsi* = partire da un centro come i raggi del sole

89 *pittoresco* = molto caratteristico

90 *monumentale* = grandioso

91 *romanico* = corrente artistica che si è diffusa in Europa tra la fine del sec. X e l'inizio del XIII

92 *in via d'estinzione* = che sta per scomparire

93 *salvaguardare* = difendere, proteggere

94 *esemplare* = animale rappresentativo della propria specie

95 *fiero* = orgoglioso

96 *infliggere* = imporre, costringere a subire

97 *umiliante* = che fa provare vergogna

98 *(le) vestigia* = i segni, ciò che rimane

99 *seppellire* = coprire completamente di terra o altro

100 *colono* = abitante di una colonia, cioè un grup-po di persone che crea un nuovo centro abitato in un altro paese lontano dalla madre-patria

101 *tuffatore* = chi si getta in acqua da una certa altezza

102 *a picco sul mare* = a strapiombo, che scende verticalmente a mare

103 *arroccato sulla roccia* = in alto, su una roccia, in una posizione elevata e ben protetta

104 *fortezza* = edificio per difendersi dai nemici

105 *nitido* = chiaro, con contorni precisi

106 *chiostro maiolicato* = cortile interno di un monastero ornato con piastrelle di maioliche, cioè di ceramica dipinta e verniciata

107 *(le) reliquie* = oggetti o parti del corpo di un santo

108 *teschio* = l'insieme delle ossa del capo, della testa

109 *stoppa* = un sottoprodotto della canapa che si usa per imbottire o rivestire (cioè riempire o ricoprire) un tessuto

110 *ottagonale* = con otto lati e otto angoli

111 *rurale* = della campagna

112 *paesaggio lunare* = paesaggio simile a quello della luna, senza alberi né acqua

113 *giacimento di metano* = luogo in cui c'è molto gas naturale

114 *sasso* = pietra, grossa roccia

115 *sottostante* = che si trova sotto, più in basso

116 *restauro* = rimettere a nuovo le parti rovinate di un edificio

117 *dirupato* = luogo ripido dove è difficile camminare

118 *agrume* = famiglia di piante che producono frutti (aranci, limoni, mandarini ecc.) ricchi di vitamine

119 *verosimile* = che potrebbe essere vero

120 *subacqueo* = chi si immerge nel mare

121 *estrarre* = tirare fuori, in questo caso dalla terra

122 *zolfo* = elemento chimico di colore giallo (simbolo S)

123 *afflitto* = tormentato, che soffre molto

124 *redditizio* = da cui è possibile ottenere un buon guadagno

125 *paladino* = cavaliere

126 *c'è da leccarsi le dita* = espressione idiomatica per dire che un cibo è molto buono

127 *palatina* = la cappella, la chiesetta privata all'interno del palazzo del re

128 *frastagliato* = che ha un contorno irregolare

129 *infestare* = invadere, producendo gravi danni

130 *zanzara* = insetto che, soprattutto d'estate, punge le persone

131 *sughero* = il materiale che si ricava dalla corteccia dell'omonimo albero

132 *inaccessibile* = detto di luogo che non si può raggiungere o attraversare

133 *sequestro di persona* = rapimento, reato che consiste nel privare qualcuno della propria libertà, in genere per ottenere il pagamento di un riscatto

134 *striscia* = pezzo lungo e stretto

135 *antistante* = che si trova davanti

136 *sulle pendici del monte* = lungo il fianco di una montagna

137 *scalpellino* = operaio che lavora la pietra o il marmo

1. Osserva la cartina a pagina 6 e scrivi negli appositi riquadri il nome delle regioni d'Italia.

A) *Regioni dell'Italia settentrionale*

_____
_____
_____
_____

B) *Regioni dell'Italia centrale*

_____
_____
_____
_____

C) *Regioni dell'Italia meridionale e insulare*

_____
_____
_____
_____

2. Abbina ciascuna regione al proprio capoluogo. Attenzione, ci sono dei capoluoghi in più!

A. *Regioni dell'Italia del Nord*

1. Piemonte	a) Genova
2. Lombardia	b) Bologna
	c) Venezia
3. Liguria	d) Milano
	e) Torino
4. Emilia-Romagna	f) Aosta

B. *Regioni dell'Italia del Centro*

1. Toscana	a) Perugia
2. Umbria	b) Roma
	c) Ancona
3. Marche	d) Firenze
	e) Trento
4. Lazio	f) Trieste

C. *Regioni dell'Italia del Sud e Isole*

1. Campania	a) Potenza
2. Sicilia	b) Palermo
	c) Campobasso
3. Puglia	d) L'Aquila
4. Basilicata	e) Cagliari
	f) Napoli
5. Calabria	g) Catanzaro
6. Sardegna	h) Bari

3. In quale regione si trova/si trovano?

    1) La Fiat _____
    2) Maranello _____
    3) Il Lago Maggiore _____
    4) Assisi _____
    5) Sanremo _____
    6) Il Palazzo Ducale _____

    7) La Fontana di Trevi _____
    8) IlPonte Vecchio _____
    9) I Trulli _____
    10) La Valle dei Templi _____
    11) La Costa Smeralda _____
    12) Capri _____

4   Vero o falso?

		V	F
1.	In Italia esistono grandi differenze tra Nord, Centro e Sud.	☐	☐
2.	L'Etna è un vulcano definitivamente spento.	☐	☐
3.	Il fiume più lungo d'Italia è il Tevere.	☐	☐
4.	Il Po bagna Bologna.	☐	☐
5.	Il lago Maggiore è il più esteso d'Italia.	☐	☐
6.	La Repubblica di San Marino è un piccolo stato indipendente.	☐	☐
7.	La regione più popolata d'Italia è la Lombardia.	☐	☐
8.	In Italia, il settore terziario è poco sviluppato.	☐	☐

5. Cancella la parola estranea

    a. cascata mare bosco laguna fiume lago
    b. monte altopiano massiccio montagna affluente vulcano
    c. agricoltura industria regione commercio artigianato allevamento
    d. costa golfo riviera litorale confine insenatura
    e. popolazione provincia regione comune capitale capoluogo

6. Proposta di ricerca individuale

    Fai una ricerca sulla/e città italiana/e che per te presenta/ano un maggior
    interesse (sito suggerito: http://www.comuni-italiani.it/citta.html).

7. Proposta di ricerca di gruppo

    Ogni regione italiana ha una sua cultura e le sue particola-
    rità. Divisi in piccoli gruppi, sceglietene una e fate delle ricer-
    che sulle sue caratteristiche e sulle sue tradizioni (sito
    suggerito:http://www.comuni-italiani.it/regioni.html).

Indice

Chiavi

1. A) Piemonte, Valle d'Aosta, Lombardia, Liguria, Trentino Alto Adige, Veneto, Friuli Venezia Giulia, Emilia Romagna
   B) Toscana, Umbria, Marche, Lazio
   C) Abruzzo, Molise, Campania, Puglia, Basilicata, Calabria, Sicilia, Sardegna

2. A. 1.e, 2.d, 3.a, 4.b; B. 1.d, 2.a, 3.c, 4.b; C. 1.f, 2.b, 3.h, 4.a, 5.g, 6.e

3. 1. Piemonte, 2. Emilia, 3. Lombardia e Piemonte, 4. Umbria, 5. Liguria, 6. Marche, 7. Lazio, 8. Toscana, 9. Puglia, 10. Sicilia, 11. Sardegna, 12. Campania

4. 1.V, 2.F, 3.F, 4.F, 5.F, 6.V, 7.V, 8.F

5. a. bosco, b. affluente, c. regione, d. confine, e. popolazione

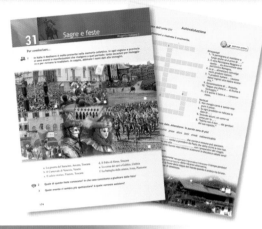

ISBN 978-960-693-004-1

Nuovo Progetto italiano 3

(B2-C1), è il terzo livello di un moderno corso multimediale d'italiano. Orientato al Quadro Comune Europeo, si compone di:

- *Libro dello studente*, articolato in 32 brevi unità didattiche, offre vario materiale autentico seguendo sempre la filosofia induttiva di scoperta del corso
- *Quaderno degli esercizi*
- *2 CD audio*
- *Guida per l'insegnante*
- *Attività online*

Mosaico Italia (B2-C2),

Offre in 6 capitoli differenti percorsi all'interno del mosaico della cultura e della civiltà italiana. In ciascun capitolo, attraverso testi, ascolti, immagini e attività, si affrontano tematiche legate al costume e alla società italiana contemporanea.
Tre sezioni fisse dedicate al cinema, alla letteratura e all'arte figurativa mettono in ulteriore risalto la ricchezza culturale del Bel Paese.
Il libro è completato da un CD audio contenente 24 ascolti autentici.

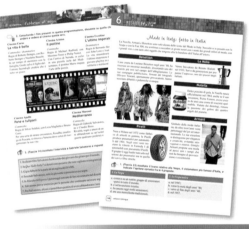

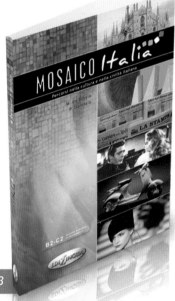

ISBN 978-960-6632-69-3

Collana Cinema Italia

Il fascicolo *Io non ho paura/Il ladro di bambini* (B2-C1) presenta due film: il primo del regista G. Salvatores, il secondo di G. Amelio.
Ciascun film presenta tre sezioni: prima, durante e dopo la visione. Lo studente ha la possibilità di arrichire le proprie competenze linguistiche e lessicali, grazie a numerose attività di comprensione, di ascolto, di scrittura, ma anche di carattere socioculturale. Ulteriori percorsi didattici permettono di approfondire le tematiche trattate nei film.
Il fascicolo è completato dalle chiavi delle attività, con esaurienti commenti, per un uso anche in autoapprendimento.

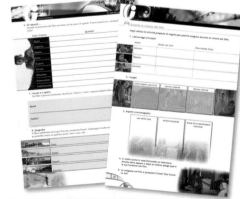

ISBN 978-960-7706-66-9

La Prova orale 2 (B2-C2),
è il secondo volume di un manuale per la conversazione e la preparazione alla prova orale delle varie certificazioni (Celi, Cils, Plida e così via).

La converazione trae continuamente spunto da materiale autentico (fotografie-stimolo, articoli di giornale, testi letteari, massime da commentare, compiti comunicativi da svolgere) e da preziose domande che motivano e stimolano gli studenti.

Il volume è completato da un glossario.

ISBN 978-960-7706-25-6

Ascolto Avanzato (C1-C2),
mira allo sviluppo dell'abilità di ascolto e, nello stesso tempo, alla preparazione della prova di comprensione orale delle certificazioni Celi, Cils, Plida e così via.

Il volume, con CD audio allegato, contiene 30 testi accuratamente selezionati da programmi televisivi e radiofonici (annunci, interventi, fatti di cronaca, previsioni, interviste, servizi sulla cultura).

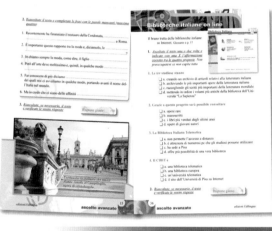

ISBN 978-960-7706-44-7

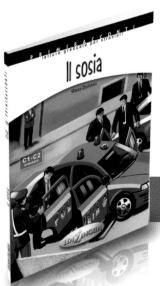

Collana Primiracconti, letture graduate per stranieri. Ogni racconto è accompagnato da CD audio, attività per lo sviluppo delle varie competenze, domande di prelettura, note e simpatici disegni.

Il sosia (C1-C2),
racconta la storia di Onofrio Maneggioni, un importante uomo d'affari che viene rapito una mattina davanti alla sua villa. Almeno così dice la televisione, e così pensano tutti. In verità, dietro il rapimento si nasconde il passato dello stesso imprenditore...

Un racconto avvincente in cui non mancano i colpi di scena che mantengono alta l'attenzione e la curiosità del lettore.

ISBN 978-960-6632-18-1 (Libro)
ISBN 978-960-693-003-4 (Libro + CD audio)